▲ 护城河边（1988 年）

藤蘿花餅

劉心武

一魚文化
文學花園
004

這是一本可口的飲食散文，以雋永的文字激起味蕾的快感，以文化的熱度烹調懷念的滋味，每一道食物都飄散出濃郁的人情掌故。

▲ 台湾版《藤萝花饼》封面

刘心武文存30

[1958−2010]

散文随笔 第八卷
藤萝花饼

刘心武◎著

江苏人民出版社

图书在版编目(CIP)数据

藤萝花饼／刘心武著. —南京：江苏人民出版社，
2012.11
（刘心武文存；30.散文随笔；8）
ISBN 978-7-214-08637-2

Ⅰ.①藤 … Ⅱ.①刘… Ⅲ.①随笔-作品集-中国-
当代 Ⅳ.①I267.1

中国版本图书馆CIP数据核字（2012）第181984号

书　　　名	藤萝花饼
著　　　者	刘心武
责 任 编 辑	刘　焱
统 筹 编 辑	李　丹
特 约 编 辑	朱　鸿
文 字 校 对	陈晓丹　郭慧红
装 帧 设 计	门乃婷工作室
出 版 发 行	凤凰出版传媒股份有限公司
	江苏人民出版社
出版社地址	南京湖南路1号A楼　邮编：210009
出版社网址	http://www.book-wind.com
经　　　销	凤凰出版传媒股份有限公司
印　　　刷	三河市金元印装有限公司
开　　　本	700毫米×1000毫米　1/16
印　　　张	15
字　　　数	384千字
彩　　　插	4
版　　　次	2012年11月第1版　2012年11月第1次印刷
标 准 书 号	ISBN 978-7-214-08637-2
定　　　价	40.00元

（江苏人民出版社图书凡印装错误可向本社调换）

《刘心武文存》出版说明

《刘心武文存》收录刘心武自 1958 年 16 岁至 2010 年 68 岁公开发表的文字约 900 万字。《文存》共 40 卷，按文章门类收录，计有长篇小说 5 卷、中篇小说 4 卷、短篇小说 5 卷、小小说 1 卷、儿童文学 1 卷、建筑评论 2 卷、《红楼梦》研究 4 卷、散文随笔 11 卷、杂文 1 卷、海外游记 1 卷、多品种（图文交融文本、报告文学、诗歌、剧本、足球评论、译述）1 卷、创作谈 1 卷、理论批评 1 卷、早期（1958 年至 1976 年）作品 1 卷、自述 1 卷。因跨越时间达半个世纪以上，收录定有遗漏，但其此期间的主要作品，相信均已收入。

《刘心武文存》各卷均附有《刘心武文学活动大事记》及《刘心武著作书目》，可备检索。

编辑出版《刘心武文存》的目的，意在供各方面人士阅读欣赏、分析研究、批评批判、收藏保存。

刘心武文存

30

——

目录

藤萝花饼

　　街口新开了家小食品商店，最显眼的标志是门口的大冷柜，柜面上彩绘着厂家的图徽字号。店主是下岗的小汪，我们在他下岗前就有来往。他爱人桂珍还在公共汽车上当售票员，倒休时跟他一起照应生意。我傍晚散步有时拐到他们店里，如果正遇到中小学生放学，买冷食的多，我就给他们搭搭手，他们收钱，我出货。如果生意清淡，我就跟他们聊聊天。我去了，他们总要请我吃冷食，我总是坚拒。我说："你们小本生意，挣点钱不容易，朋友熟人来了，你们这个请一份冰激凌，那个请一瓶冰茶，还有什么赚头？"可是，任我不吃，每回见我去了，仿佛条件反射，小汪头一句总是："刘叔，来份什么？"倘若桂珍也在，她会更加热情，有一回就拿出一种江米红枣粽的冰糕，打开包装，直伸到我鼻子前，说："这个你一定喜欢！"我退后半步，依然没接，她就自己吃了，边吃边跟我透露，他们卖这些冷食，利还是颇丰的，每月除去交税、电费及合理损耗，他们这小店的收益，足以使他们过一种自得其乐的生活。难怪他们见朋友熟人来了，总愿那么慷慨招待，而一些朋友熟人，也就很自然地接过他们递上的冷食。

　　前两天我又散步到他们小店，那天奇热，傍晚时还觉得鼻息如蒸。我去了，他们小两口都在。生意热闹了一阵，天光敛去后也就清净下来。我们说说笑笑一阵，相处得跟往常一样融洽。但当我告辞，走在回家的路上时，心里却滋生出一种失落感，那感觉还挺迅速地在我胸臆里膨胀。我失落了什么？这一回，他们两个见了我，谁都没有了请我吃冷食的话。我在小店待了至少有四十分钟，而且这回我口干喉燥，很想用冷食润一润。我身边就是装满冷食的冰柜，里面有那么多可供选择的品种，但我与那些美味之间却隔着一道无形而坚韧的屏障，那屏障是以我的一贯坚拒他们的好意，以及我从不在他们那里买东西（因为如果我说要买他们一定不会收我的钱），也就是我自以为是的想法，而形成的；看来他们也终于接受了那道屏障。

当我接近自己家门的时候，我才深刻地意识到，每回小汪与桂珍那真心请我品尝冷食的举动，我的心灵在默默的领受中习惯了，麻木了，甚至转而轻视乃至鄙夷了。现在他们"知趣"，自动中止了那一份虽然极为世俗却也极为真挚的友情表达，我却一下子承受不住了！

我常常沉浸在自我肯定的情绪中，总觉得在这个有着那么触目惊心的腐败现象的世道里，我即使不能自诩高尚，也总算得是个雅人吧。我还有些超功利的人际交往，不是吗？那天，我给很久没有联络的，退休的朋友，去了个电话，说想找他"臭聊"一通，他热情地欢迎我去，我去了，我们聊得欢天喜地，他留饭，我也不客气，吃了他老伴做的极可口的打卤面以后，他老伴又搬来一个"黑森林"蛋糕，我不禁脱口问道："咦，今天谁的生日？"我那问话竟如雷击一般，使他和他老伴悚然相视，随即好几分钟默然。告辞离去后，我在街头迎风闷走。朋友以为我记得他的生日，才在那天去他那里叙旧，而我，不过是为了给忙中偷闲的自己，临时寻觅一个温馨静谧的港湾，小作休憩。

昨天傍晚忽然门铃响，从猫眼望出去，依稀辨认出是很久没见过的，原来住杂院时的一个街坊，他来做什么？把门打开，那中年人对我说："母亲让我一定要给您送两个来……"递过一个"便当盒"，我把他请进屋，让他坐下，喝茶细道端详。他母亲，我唤作高大娘的，九十三岁了，现在住进医院，恐怕是难以回家了。高大娘家门前，有一架紫藤，每到夏初，紫藤盛开时，她就会捋下一些紫藤花，精心制作出一批藤萝花饼，分送院内邻居。当年我是最馋那饼的，高大娘在小厨房里烘制时，我会久久地守在一旁，头一锅饼出来，她便会立即取出一个，放在碟子里给我，笑眯眯地说："先吹吹，别烫了嘴！"现在高大娘在人生的最后一段途程里，提出想吃

藤 萝 花 饼

藤萝花饼，晚辈已经不会她那手艺了，现在的做法，不过是把藤萝花裹上面粉，用油炸一下罢了，但给她送去以后，她非常高兴，回光返照中，脸颊像玫瑰般艳丽，尝了几口以后，她便想起了我，立刻嘱咐她老二把一些藤萝花饼——其实已经不是饼，而要称为"藤萝傀儡"——给我送来。说实在的，我已经多年没有过问高大娘的死活，然而，她却还记得我，在她生命的最后时刻，仍要与我分享那藤萝花制品的美味……

　　我没有对来客说更多的感谢话，我看出那老二只是急着完成母亲布置的这项任务，心里并不怎么太理解高大娘的情愫。送走了高家老二，我独自坐在餐桌边，望着那些"藤萝傀儡"，心中旋动着难以名状的感动。生在这个世界，活在这样世道，有一种更高更美，属于永恒的境界，需要我不懈地去修理、提升自己的灵魂！

超越自卑

　　成功之心，人皆有之，我亦至今油然，虽然究其实情，难称真正成功，但毕竟已有过一段奋斗，跌过跤，碰过壁，挨过批，受过嘘，翻过筋斗，遭过挫折，总算也在通向目标的阶梯上攀了几级，所以，倒也愿意说说在攀进中，是如何对待自卑这个心理问题的。

　　我自幼性格内向，属于不但不具备性格优势，甚至可以说有性格缺陷的一类人。我心中暗自高骛，却很难在人际竞争中将心中的向往外化，自卑于我似乎是身移影随。《班主任》曾一度使我春风得意，但时过境迁，现在回头再看，徒具资料价值而已，其文本真是不忍再读。1978 年我有一篇《爱情的位置》甚至于比《班主任》还轰动，经电台一广播，读者来信雪片般飞来，但是现在，它的粗陋也徒令我自卑。80 年代中期以后，我努力提高自己，也算是有些个进步，而且到 90 年代依然创作不辍，但对比中外文学大师们的杰作，相距甚远，宁不自卑？近年来我的自卑感更是有增无已，比如，我至今不通任何一门外语，又不会开汽车，虽能用电脑写作，却并无"上网"漫游的能力；到国外访问，基本上只能在华裔圈和搞汉学的洋人圈里活动，根本进入不了那边的文化主流；活了 56 岁，人际上却仍不会圆融应付……如之种种，有时自卑感忽淤积于心，真恨不得自己把自己一笔勾销了事！

　　自卑过甚防肠断。但自卑感的升腾，也未始不是一种尖利的自知之明。从这个意义上说，不要害怕一时的自卑，尤其不要自己对自己遮掩自卑，乃至强把自卑扭为赌气式的自傲，最糟糕的是放下自己去琢磨别人，试图搜罗出别人的许多可卑之处，以化解自己因自卑所产生出的焦虑。产生自卑的原因无非两种，一种，是事实本身本来并无可自卑自弃之处，如性格内向；另一种，是事实本身确实构成了缺憾，如不通外语，不懂计算机语言。消化这两种自卑，前者宜高扬自尊、自强的奋斗精神，后者则可量力而行，如尚能补救，可从头学起，如实在已经来不及，大可不必强求，需知人生实在是不可能十全十美，过分求全，苛逐完美，弄不好反会使自己的人生更添划痕，徒增烦恼。

我相信"天生我材必有用"，虽然从性格，到学历，到履历，到身份，到修养，到悟性，我都不完满，但我到头来能超越自卑，尊严地接受现实中的自我，有几分光，发几分热，尽可能从容而潇洒地走完我前面的路。

奏完的与听完的

1912 年不幸撞到冰山上、沉入大洋深处的泰坦尼克号，以及这条船上的乘客与海员们的命运，一再地被拍成电影。像我这个年纪的人，对 50 年代英国所拍的黑白故事片《冰海沉船》仍记忆犹新。那是一部群戏，其中给我印象最深的，是船上的几位乐手，他们在大难临头时，不仅没有仓皇逃命，也没有消极等死，而是沉着地站在甲板上演奏优美的乐曲，不管周遭的人们四处奔逃也好，冷静应变也好，他们都竭诚地奉献着慰藉心灵的旋律……现在美国好莱坞赢得最新一届奥斯卡奖 11 个奖项的巨制《泰坦尼克号》又引进到了我国的银幕上。坦率地说，这部最新的取材于 1912 年海难的卖座片，我看过后颇为失望，也许是因为我这个年纪已不再有玫瑰色的幻梦，因此对贵族美女爱上穷画家的情节主线很有点不耐其烦，甚至于连号称极尽缠绵悱恻之能事的影片配乐，包括当红歌星席琳·迪翁以磁性嗓音所演唱的主题曲《爱无止境》，也都觉得平平而已。但是，这部最新版本的"冰海沉船"中，依然保留了乐师临危奏乐的细节，这个细节，仍是令我心灵悸动的明灯。

根据翔实的资料，1912 年泰坦尼克号上确有 8 名乐师，他们是被雇来为头等舱的乘客们在宽敞豪华的餐厅大堂中演奏室内乐，为之佐餐助兴的。海难发生后，他们确实先在餐厅大堂，后移至甲板，连续不断地演奏乐曲，曲目包括甜美甚至欢愉的古典名曲，也包括肃穆乃至悲怆的宗教音乐，一直演奏到船体断裂，8 人中无一人试图逃生，从容地随船沉入冰海之中。现在我们从影片中看到的，是四位乐师，两位小提琴手,一位中提琴手,一位大提琴手,在海难发生后的情节推衍中,有时银幕上中断了风笛音为主的氛围配乐,而传递出他们演奏室内乐的旋律,并且有主奏手向其余的乐手致谢,劝他们逃生,自己则继续演奏,而其余三位见状,刚撤离又回到原位,与之再次配合演奏。这些细节的出现,实在过目烙心,感人至深。

人固有一死。人生在世,难保不遇天灾人祸。危难之时,视死如归已属不易,而在明知大限将至时,仍能以一己所长竭诚为他人提供慰藉,显示生命的尊严,追寻超越生死的永恒价值,这是多么崇高、多么圣洁啊!

泰坦尼克号上的乐师,生命不息,演奏不止。他们奏完时,生命的价值已然凸现,永令后人钦敬感怀。但是,当他们以沉静执著的演奏寻求灵魂的不朽时,船上究竟有几许人在倾听他们的演奏,并从中获得了生命的感悟呢?他们能奏到生命的终点,而努力捕捉他们演奏出的佛音,做到生命不止、倾听不止的,究竟又有几多呢?虽然《泰坦尼克号》的导演卡梅伦确实出手不凡,但是,他却没能在这个问题上以一系列细节作出应有的回应。

电影演完了,影片没能告诉我们的,要由我们自己在心底里叩问:崇高的乐手能从容奏完他们的生命旋律,而我们,多半是急于求生的俗众,可有耐心听完神圣的启示?

心里揣进这个字眼儿

连续很多天，人们关注着电视上关于抗洪赈灾的报道。有一天，在一个朋友家，大家聚观荧屏上的捐款场景时，他那上小学的孙女儿问："什么叫慈善呀？"是的，这些天，无论报纸上还是电视上，"中华慈善总会"这个机构的出现频率非常之高。我不知道该机构是什么时候成立的。但对我来说，慈善不算是个生僻的字眼，没想到，在幼小一辈心里，慈善竟是一个令他们感到陌生，乃至困惑的字眼儿。我当即问她："你们课本里，从来没有出现过这个字眼吗？"她说："没有。老师也从来没说过这个词儿。"我知道她学习成绩一直很好，也最听老师的话，这样的回答大概离事实不会太远。

小女孩的一个提问，引得两辈大人们议论起来。孩子的父亲说："咦，其实真要让我解释，我也解释不好呢……"他妻子也说："是呀，慈善——究竟怎么解释才准确呀？我怎么总觉着，这个词儿……不大那个似的！……"大家都笑了，我问她："不大哪个呀？"她说："以前倒是常听到这样的话，比如'对敌人仁慈，就是对人民犯罪！'……"孩子父亲接过去说，"是呀，好像没有反过来，说应该对人民仁慈什么的……"孩子的爷爷沉吟着说："那恐怕是，有好长一段时间是'以阶级斗争为纲'嘛，仁慈啦，慈善啦，这些个字眼儿，被无形中排除于主流话语之外了吧，所以，直到现在，小学课本里，老师课堂用语里，不一定绝对没有这个字眼儿吧，但它显得极为罕见，却是真的……现在中华慈善总会，跟中国红十字总会，成了两个国家级的，接收捐款捐物的救灾机构之一，倒把慈善这个字眼儿，给普及了一下……"孩子的奶奶一旁走过来说："中华

藤 萝 花 饼

慈善总会，是民政部直属的赈灾救济机构，是非赢利性的……那天我去捐款，插空跟他们工作人员聊了几句，据他们说，他们这机构与世界上的有关机构，也就是别的国家和地区的慈善总会，都建立了联系……反正，我觉得慈善这个字眼儿挺好，能把世界上绝大多数人的好心眼儿，都凝聚到一起！……"这时孙女儿忍不住了，冲着我们大人嚷了起来："可是，究竟慈善这个词儿，该怎么解释呀？"

大人们谁也不敢轻率回答，她父亲遂去取来了《现代汉语词典》，查到"慈善"的准确解释——"对人关怀，富有同情心，慈善心肠"。父亲问她："现在明白了吗？"她点头说："有点明白了。就是，要关心那些，好比水灾里，房子给大水淹了，衣服也不够了，小孩子上学也困难了……那些灾区的老百姓……对他们同情……啊，原来，这就是慈善呀！"

孩子明白了，大人们却一时怎么也转不开话题，孩子母亲头一个反省说："哎呀，这些年头，老实说，光顾考虑自己怎么有个发展，怎么增加收入，怎么过得舒坦了……心里头，要不是这场水灾……慈善这个字眼儿，还真是影儿淡了……"孩子父亲跟上去说："不光赈灾的时候，应该有一份慈善心肠，就是平时，比如说上下班挤公共汽车，就不该嫌弃那些挤在自己身边的，外地来的打工仔、打工妹们，觉得他们身上汗味儿浓，土里土气……其实，他们给咱们城里城外，盖起了多少高楼大厦，填补了多少服务行业上的空缺啊！……倒不一定什么时候都需要捐款捐物，首先，关怀、尊重所有比自己生活困难的人们，这该是慈善的起点吧！……"我的朋友，孩子的爷爷，笑吟吟地说："好呀，慈善这个字眼儿，看来就要回到社会主流话语里来啦！……"我心中涌出涟漪般的感动，是啊，让我们每个人心里，都揣进慈善这个字眼儿吧！

呵护小自然

　　"热爱大自然"是个耳熟能详的口号，虽说并非每个人都能身体力行，但不会有人反对。如果提出"热爱小自然"的口号，可能就会有人质疑了：何谓小自然？怎么个热爱法？

　　北京西城区皇城根小学六年级小学生侯一诺，在西城区青少年科技馆及本校老师指导下，在她家居住的裕中西里小区仔细观察、精确统计，得出如下数据：1993 年小区刚建成时公共绿化面积 1438 平方米，近两年被毁绿化面积 412.6 平方米，28.7%的草坪已不复存在！这些草坪被毁的原因，行人和居民践踏致死的占 66%，车辆轧毁的占 29.4%，因管理不当致死的占 4.6%；她曾利用上学前后和中午不到两小时连续盯看，发现践踏草坪的大人小孩竟达 1031 人！由此，她写成一篇文章，呼吁"大家都来和小草交朋友"！（见 1998 年 3 月 24 日《北京晚报》头版）小学生侯一诺吁请人们呵护的绿地小草，便属于小自然的范畴。随着人类工业文明的发展，特别是城镇居民密集区的膨胀，严格意义上的大自然在不断萎缩，热爱大自然、保护大自然的呼声日高；与此同时，人类也竭力利用科技和工业手段，在城镇中保留或营造出片断的自然景观，如公园、绿地、林阴道等等。值得注意的是，城镇中的这些小自然中，除了植物外，还有若干动物，首先是飞鸟，其中包括人工放养的广场鸽、季节性出现的候鸟、偶然路过的禽类和基本上在城镇中定居的喜鹊、乌鸦、麻雀、啄木鸟、猫头鹰等等（笼养鸟属于反自然景观，不算在内）；也可能有些小兽，如刺猬、松鼠、黄鼠狼；更多的则是昆虫，如蜻蜓、蝴蝶、野蜂、蚂蚁……当然，个别的动物，尤其是昆虫中的某些类别，于人类有害，应排除在我们热爱、呵护的范围之外，甚至应予消灭，但这不妨碍我们从总体上提出热爱、呵护城镇居民密集区的小自然的呼吁。

小自然是大自然在城镇居民密集区中的延伸，很难想象，一个不爱惜小自然的人，会在大自然中产生尊重、呵护之情。小学生侯一诺那天所观察到的 1031 位践踏城市绿地草坪的人，倘若到城外大自然中旅游，他们就很可能随意攀折花草树木，摧残野生禽鸟小兽，弄脏自然水域，随便抛弃野餐后的包装物。说实在的，这样的旅游者，是大自然的亵渎者、蹂躏者，他们或许会说，他们是喜爱自然风光的，但自然风光不是供人饕餮的嵌花夹心奶油蛋糕，小学生侯一诺说得好："大家来和小草交朋友！"自然界的一草一木、一鸟一兽，与人类之间，不是被享用、被玩弄的关系，而是平等的关系，朋友的关系，携手共荣的关系，休戚与共的关系。

很多人都知道，在当今的文学门类中，有一种叫做环境文学，或环境保护文学，这是非常值得尊重与揄扬的一个门类。但是，许多人可能还不知道，有一种写作，叫自然写作，即以自然界的存在物为写作对象，也不一定是写大自然，往往专着意于写小自然，并且也不一定非要在文章中吁请生态保护或环境保护，而是以类似侯一诺那样的观测为前提，具体细腻地，比如说写初春一针绿草如何钻出地面、炎夏荷塘边究竟飞动憩息着哪几种蜻蜓、仲秋银杏树的扇形金叶中如何堕下白果、晴冬乌鸦如何群飞觅食……这种自然写作在欧美、日本都盛行了多年，我国宝岛台湾的作家，也有专门从事这一门类创作的，其中引人注目者如刘克襄、粟耘等，他们的文章短的只有几百字，如写城市中最平常的树木所氤氲出的香气，篇幅长的成为整本的书，如记录守候在沼泽地，观察一群野鸭生活、繁殖的全过程……自然写作一般并不把所写的自然现象引申到社会人生，去升华出所谓的哲思，而崇尚淳朴、简约，但这种文字所散发出的蕴藉魅力，足以唤醒都市某些人那麻木的心，而从小处着眼，从小处做起，首先热爱、呵护身边每日极易被忽视被损害的小自然，从而使心中旋升出对大自然敬畏、亲和的情愫。

身边的树

八九月份，城里人聚在电视机前，议论得最多的，是关于如何制止长江上游乱伐乱砍林木的事。一些曾去过长江流域的人，绘声绘色地形容所见到的骇人听闻的乱伐现象，比如有的山林凡比碗口粗的树几乎都被砍倒，但春季砍倒，却直到秋季才拉到江边放进湍流，因为这时树干上的枝杈已经枯萎，一拖便断，省去了削去枝杈的工序……听了这些叙述，再回想荧屏上闪过的那些有关镜头，人们便开始谴责那些地方村民的愚昧、干部的颟顸、有关部门的麻木……但是，不少城里人却往往把自己置身在事外，仿佛在有关树的问题上，自己就没有可反省之处似的。

不错，由于有关的制度执行得较好，也由于总的受教育程度和文明意识较高吧，城里人乱伐树的现象，是很少出现的。但是，城里人对身边的树，其爱护程度究竟如何，实在还是很难给予高分的。每天清晨的晨练，在公园，在绿地，我们都可以看到，为数不算少的晨练者，他们对自身的健康十分重视，但是，他们却把树木当做了健身工具，或用一部分肢体，或竟以整个身体，狠力碰撞、撼动树木；有的跳起抓住树杈，当做吊环，荡动身体……虽然在报纸上时有谴责这类行为的言论，乃至漫画，但至今仍是中国许多城市晨练景观中的常见镜头。城里居民区的院中、楼前楼后，时常可以见到，很粗的铁丝箍在树干上，居民们心平气和地在拉在两树间的铁丝上晾衣衫被褥。城里人都喜欢自己窗外有树，春来见绿，炎夏有阴，秋风中叶鸣如诗，即使是严冬，无叶的枝条也构成了美丽的图案，但是，有些住高层建筑的住户，随意往下扔杂物，我就在某些住二楼、三楼的住户中做客时，看到其窗外的树杈上卡着些饮料盒，缠着些塑料袋，尽管那主人家中装修得十分堂皇，窗外的杨树柳树本来也很美丽，可是树上的那些杂物还是令我产生出恶心的感觉；也曾建议主人打开窗户，用长竹竿将那些杂物一一捅落，答曰：那是园林局绿化队的事，再说，你捅落了这批，还会落另一批……难道，对这不文明的景象，惟一的办法只能是"见惯不烦"吗？

以上所说，当然还是些表层的、肤浅的事例。其实，人与树，不仅是个功利的关系，我们不仅应当懂得，树集合为林，能以根系固土，以叶片蓄水，以光合润气，使我们所居住的大地水土得以保持，避免水灾，减少旱灾；也不仅是个美化环境，令我们赏心悦目的关系；如果说，不少人已经认识到，各类动物，都是地球上生物链中不可或缺的生命存在，那么，今天应该使更多的人认识到，树木，也不仅是乔木，包括灌木、草类，乃至于苔藓那样的低级植物，也都是不可轻亵的生命，我们人类，必须在与它们的良性共生中，才能发展我们的文明。我曾问过一位从外地来京打工的青年人，你家乡有些什么树？你最爱哪一种？最想念哪一棵？第一问他答不清楚，第二、三问他根本听不懂。拿同样的问题问一位从外省某城来京上大学的青年人，他倒是都听懂了，却连第一问也答不出来。我便再问他，现在在他那宿舍外面种着什么树？他想了想说，没注意，大概是槐树吧。我问他，是春天开花的洋槐，还是仲夏开花的国槐？他反问：还有这个区别吗？我上的又不是生物系，搞那么清楚干什么？我说，应该搞清楚，因为你会有好几年，在那些树下走来走去，它们是你的朋友，你的感觉不能太麻木，情感不能太粗糙，你如果赞成保护森林，就该首先记住，并且爱护你身边的树！

中国人要想让长江、松花江、嫩江，以及所有的江河都不再洪泛成灾，要想让大地上的植被丰茂润润，当然应当从严禁滥伐、植树造林做起，但最根本的，恐怕还是要在心里先栽上树。但愿不要多久，农村和城里，所有的人，都能流利而欣悦地回答出这三个问题：我家乡有些什么树？我最喜欢哪一种？最想念哪一棵？

心灵四季

　　朋友来电话，先说这两天好冷，又说冷得好，"三九天"嘛，该冷了！我也说冷得对头。这几年，四季紊乱，常常是，该冷不冷，该热不热，该下雪时无雪，不该下雪时，嘿，倒来了场好大的雨夹雪！朋友导入正题，说正写一篇文章，想引用当年雷锋的四句话，对什么要像春天般地温暖？像夏天般地火热？像秋风扫落叶一样？像严冬一样冷酷无情？他说手边无书，自己怎么也想不确切，要我帮他回忆一下，如我书橱里有《雷锋日记》，那就替他查一下。我书橱里似乎有《雷锋日记》，但肯定没放在顺手就能找到取出的位置。我回忆，雷锋大概是这样说的：对待同志要像春天般地温暖，对待工作要像夏天般地火热，对待错误要像秋风扫落叶一样，对待敌人要像严冬一样冷酷无情。为确证一下记忆是否有误，我大声呼唤正在电脑前作网上漫游的儿子，问他那关于四季的比喻该是怎样的？他说，啊，你问这个？我倒听到过这样的顺口溜：对待美人要像春天般温暖，对待金钱要像夏天般火热，对待公共财物要像秋风扫落叶一样，对待竞争对手要像严冬般冷酷无情……他话音未落，我已气得大吼一声：岂有此理！朋友在电话那边被我吼声吓了一大跳，我又赶忙跟他致歉……

　　放下电话，直奔儿子身前，跟他算账。儿子躲闪着我，笑说：这不是我的"四季"！这是社会上一些人针对不正之风，编出的讽刺性顺口溜。其实，体现着一种鞭挞，你怎么一点幽默感没有呢？我叹口气说，现在的这些人啊，离雷锋精神真是太远太

藤萝花饼

远了！儿子不笑了，也叹了口气，告诉我说，在他电脑中那智能 ABC 输入法的中文字库里，雷字和锋字不能构成一个"联想"，但是你打出"贞"字，却会有"贞德"（法国 15 世纪初为国屈死的"圣女"）的联想；他并且马上试给我看，果然如此。

后来，和儿子坐到沙发上，茶话一番。我说，不应该把雷锋的"四季"忘掉，更不能"四季"紊乱啊！儿子说，雷锋当年写在笔记本上的这四句话，他记得曾看到过一份资料，说是如同那首"唱支山歌给党听"的诗一样，都并非雷锋原创，而是从报刊上摘抄下来的；但这无关宏旨，大体而言，它们都体现着一个时代的政治伦理和社会道德规范，最后以雷锋精神命名，广为流传，一度影响极大，直到今天，也还有很值得继承的因素……我打断他的话质问道：什么？难道不该全盘继承么？儿子说，他认为，这样的"四季"，毕竟还是多多少少打上了一些"以阶级斗争为纲"的烙印，因此，是有局限性的，比如，光是对同志——即理念和追求上一致的人——如春天般温暖，现在看来，就不够了，其实，对非同志的先生、小姐，比如，你是无神论者，人家是宗教徒；又比如你没有资产而且永不愿有资产，人家却有资产而且雇了工，只要人家是共和国的守法公民，在交往中，不也最好给予春天般的温暖么？再，对敌人，在战争年代，当然要严冬般冷酷无情，但在今天的情况下，敌我界限固然不能混淆，更不能拿原则作交易，可是也要善于坐到谈判桌边，并应当懂得，在某些具体问题上，可以作出妥协，以达成有利于中华民族乃至全人类总体利益的协议……嗬，他倒头头是道起来了！我跟他说：你这些新潮观点，容当再议！他只望着我微笑，不再吱声。

晚上一个人坐在书房沉思，觉得儿子所说的，其实不错。只是我的思维角度，与他不同。我是想，现在地球的生态环境被人类破坏得很厉害，所以像北京这种本是四季最分明的地方，也变得四季紊乱了，而我们的人文环境怎么样呢？儿子开头用揶揄的口吻道出的那一串顺口溜，听来虽然刺耳，却也真实地反映出，我们所置身的现实生活里，确实存在着"心灵四季"紊乱的现象，并且，你也不能说那只是一小撮人的极个别的偶然的心态与行为，对此，应产生出忧患意识了！如果说，完全照搬雷锋的那四句比喻，未必与如今的社会生活严丝合缝地对榫，那么，我们应当在继承其精华的基础上，创造出新的，具有一定普适性的比喻来才好。

我沉思良久，觉得自己一时无力代别人理清心中的四季，而自己也一时无力针对非常宽泛的社会伦理与道德范畴来以四季作比喻；我只能对自己说，心中四季莫紊乱，首先这样要求自己吧：对下岗职工要像春天般温暖，对参与有益于公众的事情要像夏天般火热，对色情和暴力要像秋风扫落叶一样，对贪官污吏要像严冬般冷酷无情。

"流红水儿"

一位年轻的母亲告诉我，她那 3 岁的儿子，有一天跑进厨房来对她说："妈妈，我流红水啦！"她仔细一看，原来是孩子一个人在隔壁房间里玩时，不知怎么地手臂上划了一道口子，渗出了鲜红的血来。乍见孩子"流红水儿"，她心中又急又痛，一串责骂几乎就要破喉而出，可是俯身望见儿子正坦然地把"流红水儿"的手臂伸到她跟前，双眼中充满了天真的期待，她毕竟是有知识、有修养的现代女性，倏地意识到这不仅是引领儿子认知自我与世界的极好机会，也是考验自己作为母亲究竟能达到怎样水平的时刻，于是，她平静了下来……

这位母亲首先取来家庭药箱，给儿子处理伤口。一边给儿子的伤口清污、消毒、止血、敷药，一边跟儿子传授生理卫生知识，告诉他流出来的不是"红水儿"，而是血；儿子自然问："什么是血呢？"她便尽可能用儿子能听得明白的话语，把关于心脏、血管、血液的常识，讲给儿子听，儿子不可能全懂，但最后记住了"人血不是水，它很宝贵，不能让它随便往外流"的道理，她甚感欣慰。然后，她让儿子把划破手臂的过程讲给她听，并到出事的位置仔细研究了问题所在，于是，她给儿子讲了玩耍时应如何注意安全，并及时把导致这一事故的家庭隐患加以了排除——重新摆放了几样家具什物。对于儿子流血后没哭，她予以了表扬，可她也仔细地询问了儿子：流血时痛不痛？痛得厉害不厉害？她证实儿子划破手臂后痛得并不厉害，心生疑问：这孩子的神经末梢是否发育滞后？于是，她给一位医生朋友打去电话咨询，对方详细了解了情况后告诉她，不存在她所担心的那个问题，孩子之所以划破手臂流出了血后跑到她面前说"我流红水儿了"，看来一是幼小的生命无知无识，二是性格坚强，属于比较粗犷、豪迈的类型。这样处理完后，她依然让孩子自己玩耍，自己继续到厨房做饭。

这位年轻母亲在爱子生平头一回流血时，如此这般理智、麻利地处理，是很值得学习的。一生中从未流过血的人全世界难觅。人生在世，跌跤、磕碰、划拉个口子，流出些血来，留下点伤疤，实在是很平常的事情。我们在珍惜生命、避免事故、预防疾病、保养身体的前提下，无妨把生命的发展看做是消耗精力、迎向风险、战胜病痛、锤炼体魄的一个必然流程。那孩子把头一回从体内流出的鲜血叫做"红水儿"，固然有幼稚可笑、令人忍俊不住的一面，然而，他那份不因疼痛而哭泣的坦然，倒也昭示着我们：不怕摔打的人生方是豪迈雄健的人生！

生命的发育、成长过程中，不仅会遇到生理上"流红水儿"的情况，还会遇到心理上、情感上乃至思想上"流红水儿"的考验。当然，无论如何，都要避免失血过多。但想要一点坎坷、曲折、损失、调整都没有，滴血无损，那恐怕也只能是一种幻想。不过，处理好心理上、情感上，特别是思想上的"止血"，使其顺利地"结痂"、"平复"、"更生"，那当然是复杂得多的事了。

绿　针

　　乍暖还寒时节，在楼下小花园里散步，忽然听到一个稚嫩的声音："奶奶！快来看呀，谁把一根针掉在这儿啦？"是个幼童，蹲在地上，盯住一个地方看；他奶奶走过去，俯身朝孙子关注的地方凝视……稚嫩的声音还在继续："奶奶，这根针怎么是绿的呀？要不要把它捡起来，您拿一根线，教我穿针鼻儿呀？"奶奶看清了，忙阻止孙子："别碰它！千万别碰！这是大地妈妈的针……"孙子问："大地妈妈的线在哪儿呀？她也跟您一样，戴上眼镜绣花儿吗？"奶奶牵起孙子，边往前散步边说："她的线在地底下，可长可长啦……再过一两个星期，她就会到处绣出好多好多的花儿……"

　　一老一小走远了，我踱过去，蹲在那幼童蹲过的地方，仔细看，啊，是一根绿针，一根很细很小的绿针——大地妈妈的绣花针……这时节周围还没有任何像它这样的体内循环着生命汁液的绿色物体出现，它却勇敢地蹿了出来！望着它，我很感动……

　　一根绿针，会牵出两根三根、四五根六七根……一片又一片，最后是整个草坪的绿针，随着阵阵骀荡的春风拂过，绿针会膨胀、蹿升、增碧、连袂，绣出满眼的春绿，逗出万紫千红的撩人春色。

　　原来，春天是从一根细小的绿针发端的，而首先发现它的，是一个天真的幼童。珍爱春天，要从呵护、赞美每一针绿草做起；而惟有心如赤子，方能眼收春的早讯，永葆一份乐观精进的心境！

激情与温情

　　一位研究社会学的朋友跟我说，他最近的研究课题是"雷锋精神"，他有一个发现，就是雷锋的"做好事"，在 60 年代初，是一种非常适时的"革命温情"。衔接得很紧的"反右"、"大跃进"、"反右倾"，把全民追求乌托邦的政治激情消耗得非常厉害，可是结果却是迎来了一个无法遮掩的"三年困难时期"，这时社会群体的潜意识里，在并不放弃革命理想的前提下，普遍出现了一种化宏大豪壮为细小具体、化一味斗争为同志互助、化纵声咆哮为谈心吟诵的温情诉求，部分因为如此，那时对雷锋的宣传，取得了非常大的成功，而且在对雷锋的肯定上，当时党和国家的所有领导人取得了共识，纷纷题词，掀起了一个向雷锋学习的热潮。事过近 40 年，不仅许许多多过来人难以忘怀，而且雷锋这个名字也成了"与人为善、乐于助人"的代码。对他的揄扬，至今在青少年乃至全社会中，仍可产生出一定的可视性效益，并且其中的"互助温情"这一核心成分，还流播境外。比如美国军队中就曾出现过以雷锋为榜样，来促进士兵为他人热情施助的做法。

　　和朋友讨论"雷锋精神"，我们都认为，到了"文革"阶段，只是因为毛泽东题写过"向雷锋同志学习"，因此仍被作为一种革命精神加以肯定。但其实那时跃升到核心地位的已经是"红卫兵"的"革命造反精神"，夸张扭曲的激情又一次高扬，"同志互助"这样的温情，已经很边缘化，乃至被认为是会妨碍"天下大乱，达到天下大治"的赘物了。我记得那时候，也曾有人试图另塑一个雷锋形象，比如把搜出乃至编造出雷锋在新社会与阶级敌人斗争、抵制观看表现"帝王将相、才子佳人"的戏曲等小故事，但收效甚微，人们心目中的雷锋，说来说去，还是"做好事"和"帮助人"。

进入改革开放的历史时期，在开辟新路更新意识的激情中，雷锋精神一度遭到质疑：雷锋的"做好事"是不计报酬的，就他个人而言，当然是美德，但在推行市场经济的进程中，是否还能作为普适的道德标准？雷锋的"帮助人"是以绝对的无私忘我为前提的，是他对党感恩戴德的报答方式，这种思想境界是否有时代的局限性？新一代青年是否应树立强烈的自我意识，创造出独特的自我价值？……在新的社会激情过剩乃至泛滥的情况下，首先是一些中年以上的社会群体，感觉到"你能为我做些什么，我能为你做些什么"的"新型"人际关系里，已存在着令人忧心的成分，更何况出现了赤裸裸的"见钱眼开、见利忘义"的并不算少的社会现象，于是，有"雷锋叔叔哪里去了"之叹，且呼声越来越高。

改革开放需要激情来冲决因循守旧的壁垒，但这样的一桩事业其实是一种宏大的社会科学实验，越向纵深发展，越需要冷静的头脑，更需要社会群体以及个体与个体间的人际和谐。尤其是出现了那么多的社会不公，那么多确实不能再去对其侈谈"自我价值"而亟待伸出援手加以救助的同胞，于是，亢奋的激情渐渐让位，对"成功人士，尽情拥有"的颂赞开始令人不是生羡而是生厌，带有鲜明针对性的，对爱与善的揄扬，又掀起了新一轮的温情涟漪，像《离开雷锋的日子》这样的电影便应运而生，试图在新的语境下，重新叙说"做好事"与"帮助人"在人类道德领域中普适性的永恒价值。

大体而言，当一个社会整体为激情所左右，尤其是达于狂热时，往往会因为过分的行为与所派生出的负面效果，导致普遍的温情向往。温情是制衡社会狂热的清凉剂。但当一个社会为泛滥的温情所充溢时，则又会导致相当多的群体与个人的鄙俗与浅薄。他们会认为谈论远大理想，主张与社会不公抗争，似乎都成了不合时宜的"高调"；这时，社会便需要撒下激情的"胡椒面"，来打破精神的萎靡和行为的卑琐。逼近世纪末，我们这块土地上呼唤激情的声音，似乎又高扬了起来，切·格瓦拉这个符码的频频出现，便是征兆之一。

　　朋友最后问我：倘若一个社会既丧失了为理想而奋斗的激情，又丧失了世俗人际间的脉脉温情，那该是怎样的一种局面呢？我的回答是：假设不能成立，任何社会不可能呈现那样一种局面；人类总是会在激情与温情的激荡中，付出若干不得不付出的代价，曲折前进的。朋友听了，想了想，补充说，是的，人类有希望不断地提升激情与温情的合理配置度。

肢体的狂草

十二年前初访美国，在一所大学艺术系意外地邂逅了一位来自北京的留学生，他在那里学现代舞。聊起来，他在北京第十三中上过学，而我在那里任过教，虽然他入学时我已经调到出版社了，但仍有一种特殊的亲切感。我问他的指导教师，他学得怎么样？指导教师夸了他一通。我正沉浸在快乐里，忽听那指导教师说："你们中国人肢体太僵硬，跳舞嘛，只懂得用四肢，能用上腰就很不错了，完全不懂得如何用背部、胸部、腹部来释放情感……我好不容易才教会了他……"我觉得很刺耳，但毕竟我没研究过舞蹈，更没对中西舞蹈作过一番比较，无从跟他理论，只得隐忍心中的不快，不过谈兴由此全消，敷衍了那指导教师几句，便告辞离去。那中国留学生稍后在教学楼外追上了我，他显然窥破了我的心思，边陪我散步边跟我说："……他没恶意……您别介意……他们就是不跳舞，也常用丰富多彩的肢体语言来表达情绪……咱们……讲究含蓄嘛，肢体该怎么样，有定势嘛，要'站如松、坐如钟、卧如弓'嘛，要'眼观鼻、鼻观心'嘛……两种文化嘿……"我心里还是不舒服，但不想就此说些什么，主动把话题引到了别处……

记得那回返京后，偶然想起此事，心中还是耿耿。赵飞燕舞金盘，光用四肢么？霓裳羽衣舞，怎见得就不用背部释放信息？中国现代舞的开创者，如吴晓邦、戴爱莲，我也曾有幸看过他们表演，那时他们已是"老骥"，表演属教学示范性质，但给人的印象仍很潇洒飘逸；我虽不曾特别注意过他们四肢腰肢外的部位究竟参与到什么程度，却绝不能一言以蔽之曰：中国人肢体太僵硬……

后来夜读鲁迅，他笔下的成年闰土，不仅肢体语言匮乏，连嘴里的谈吐也只能称之为木讷。他还写道，在看杀头那样的似乎最富刺激性的场合，围观者竟也多呈麻木的状态。在外国人的照相机前，被拍摄的中国人常呆视镜头，拉下下巴。自然在鲁迅那个时代也有优秀的中国人，包括中国农民，有先进的思想，有文明的行为，有口头语言与肢体语言皆丰富者，但总体而言，那只是凤毛麟角，多数的，还是被内忧外患，压抑得不懂不需、不能也不善释放自己的情感。他还写道一位中国地位优越的新式妇女，到西欧访问，人家问她，中国妇女是不是缠小脚？她便伸出自己的"天足"给人家看，告诉人家没那回事。鲁迅先生对此很不以为然。鲁迅先生主张直面人生，睁开眼睛看中国，也睁开眼睛看世界。鲁迅的爱国，是首先不怕承认自己的国家有毛病、有缺点，也不怕承认人家的国家有妙处、有优点。以这样的心态对比中西文化，他甚至主张不读中国书，而多读外国书。我们真能参透先生这种幽深愤激的爱国情怀之精髓么？

后来，我看电视时，注意新闻报道里出现的普通中国人，我得承认，特别是镜头里出现的农民，多数，还是比较木讷，或者大体上还算大方，能有问必答，但善于用手势辅助意见的表达者，已寥寥，更多的肢体语言，那就极为罕见了。当然，这样的同胞，特别是农民，又尤其是老一辈农民，我们仍然爱他们，或者说，恰恰是因为其不善表达，在雕像般的沉寂中，我们感到听见了更厚重的心音，故而更觉得有一种特殊的美感。80年代初，罗中立那幅"超级现实主义"的巨画《父亲》，把我们这种体验充分地表达出来了。陈凯歌的《黄土地》，仿佛是刻意顺着《父亲》的走向作进一步的开掘，他一方面把中国农民的隐忍静穆展现到令人屏息的地步，一方面又通过狂放的腰鼓场面，把中国农民那以肢体语言宣泄感情的爆发力展现到令人热泪盈眶的境地。张艺谋根据莫言原著改编的《红高粱》，试图通过主观臆想，从"我爷爷"、"我奶奶"那里张扬出中国农民粗犷的"行为艺术"，来激活现实中国农民乃至整个民族情感表达的坦率度与狂放度。这一努力在90年代，被众多的文学艺术家以多种形式继续着，开放出了更多更奇的花朵。

但是，真正使中国民众，特别是中国农民扬眉吐气，摈除压抑感，获得释放聪明才智、健康欲望与内心激情的因素，不是文学艺术，而是活生生的时代步伐，具体来说，是改革开放，是生产力的解放，是生产关系的良性调整，是经济，尤其是农村经济的发展，是富裕的可能与逐步的实现，是文明的推广，是个人价值在群体追求目标中的确定，是个性的被尊重与性格外化的无障碍……

于是在 1999 年 6 月 20 日，在黄河壶口瀑布，出现了二十四岁的黄河娃朱朝辉骑摩托车飞渡黄河的场面。至少有几千万观众从电视上看到了有关的纪实镜头。这件事情的其他方面的意义我不拟多说，我只想说，我注意到，面对记者的采访，朱朝辉的回答既明快又富有鲜明的个性，而且，他说着一口相当标准的普通话；更令人难以忘怀的，是从准备飞越开始，到飞越成功之后，他那多姿多彩，力度刚劲，甚至达到狂放不羁程度的肢体语言，令我感受到个性飞扬、情感迸发的强烈美感，像焰火般瑰丽，如瀑布般雄浑。我认为这样形容毫不夸张：那是肢体的狂草，书写着生命的尊严与追求的快乐。

从某种意义上说，朱朝辉的飞越黄河是中国新一代农民的现代舞。他不仅以四肢和腰肢，还以胸、腹、背以及身体的每一细小部位，狂草般宣示着闰土已成为历史陈迹，罗中立绘出的那位"父亲"也已渐渐淡出舞台。他，以及亿万像他一样的新一代农民，已经旋至历史舞台的中央，在强烈的追光下，释放出他们的生命之光！

鲁迅先生倘若活着，见到这完全不同于"颓败线下的颤动"的狂放雄姿，该是怎样的欣慰！

但是，也正是在有关朱朝辉的追踪报道的电视镜头里，我们看到，他家乡那里的农民耕田与播种的工具及方式，还相当地原始。正如鲁迅先生认为，在中国大地上仍有许多妇女缠足时，举起个人的"天足"来驳斥西洋人的偏见并非是表达爱国情怀的良策一样，我们在为出现了朱朝辉这样的黄河娃欣慰时，也仍应对中国之大、问题之多、状态之不平衡、情况之复杂，有清醒的认知。倏地又想起了十二年前在美国听到的，那关于中国人身体僵硬的刺耳的话，现在我心情很平静，因为我懂得

了爱国绝不能等同于爱面子，同时，也因为自己祖国在改革开放中所获得的进步，
具体入微地体现在了朱朝辉这样一个黄河娃的肢体狂草中，我从中获得了坚实的尊
严感与自豪感。我们将进一步克服僵硬。我们将有更多的曼妙舞姿。一切取决于我
们的虚心与我们的奋斗。

穿林渡水乐音来

　　不同时代、不同地域、不同民族的人，在某些心灵感受上存在着通感，比如，有时就会觉得，穿林渡水的乐音，格外地动听。19世纪俄罗斯作家屠格涅夫在他那著名的中篇小说《阿霞》里，写到两个俄国贵族青年，在旅居德国莱茵河畔时，坐在山顶上，空气清朗透明，新鲜的、轻盈的空气静静地像波浪似的摇荡着，滚动着，这时他们听到了从山底下飘来的音乐声，其中一个青年便感叹："华尔兹舞曲近处听起来一点儿意思也没有……可是远远地听起来，它就好得不得了，它能唤起您所有的浪漫情绪。"而这种审美情趣，早在屠格涅夫写出这篇作品的一百年前，我们的曹雪芹就在他那不朽的《红楼梦》里刻意地推出了。他写贾母在大观园秋爽斋探春住处，"忽一阵风过，隐隐听得鼓乐之声"，原来是府里的戏子"红楼十二官"们在演习吹打，贾母便命把她们叫进园子里，"就铺排在藕香榭的水亭子上，借着水音更好听……"那时贾府状况尚好，后来不如意事渐多。中秋节贾母领着家人在凸碧堂赏月，她兴致仍高，说："如此好月，不可不闻笛。"又道："音乐多了，反失雅致，只用吹笛的远远地吹起来就够了。"布置后，正赏桂花呷暖酒，说着闲话，"猛不防只听那壁厢桂花树下，呜呜咽咽，悠悠扬扬，吹出笛声来。趁着这明月清风，天空地净，真令人烦心顿解，万虑齐除……"其实曹雪芹的美学滋养又来自我们悠远的传统文明。唐代大诗人李白诗曰："谁家玉笛暗飞声，散入春风满洛城。此夜曲中闻折柳，何人不起故园情！"这是一千年前的"远音"。更早，两千多年前，《诗经·伐檀》："坎坎伐檀兮，置之河之干兮，河水清且涟漪……"那穿林渡水的号子声不仅悠扬刚劲，还饱含着奴隶的抗议心声，直到今天不灭，浸入我们灵魂，仍会为之动容盈眶。

《阿霞》里的俄国贵族青年，属于游离出其利益集团的"多余人形象"，有其值得肯定的一面；《红楼梦》中的贾母，她跟贾政那样的封建正统代表人物也不尽相同，有"破陈腐旧套"的思维，书中还写到她有一回笑道："看着多多的人吃饭，最有趣的。"她也是"生于末世运偏消"，虽重用了王熙凤，纵容了贾宝玉，多少显露出开明一面，究竟也还是"眼睁睁，万事齐抛"。阿霞和贾母的时代已成为博物馆里的收藏。俱往矣！我们要"听唱新翻《杨柳枝》"。

我有幸生于新时代，经历于历史新篇章的字里行间。在我的个人记忆里，1963年，那一年我二十一岁，是北京第十三中的青年教师，国庆节之夜，学校领导安排我在校园里值班，北京第十三中位于北京城西北，什刹海畔的幽深小街中。那一夜，从天安门广场，长安街那边，随着和煦的南风，时断时续地，穿过北海的绿树湖波，传来人们尽兴联欢的乐音。我走动在原是贝勒府的校园里，那保存得还很好的殿堂古槐，以及拆去大片院落盖起的新教学楼，还有旁边有株大桑树的整洁的大操场，在格外的空寂中，因那远处穿林渡水而来的乐音，而氤氲出幸福的蜜汁，点点滴滴，浸润着我正在发育的心性。那是"三年困难时期"已然过去的第二个年头，学校小街尽头的小饭馆"华顺居"里又可以点到麻婆豆腐、砂锅丸子那样的美味，而且记得离学校很近的人民剧场，那本来是中国京剧院的专用剧场，却忽然在卖北京人艺的《茶馆》的票，我马上买票去看了，是楼上第一排的正当中的位子，哎，那真是一次难得的艺术享受！而也是很近的护国寺电影院里，又有比如说根据陀思妥耶夫斯基原作改编的《白痴》、《白夜》那样的外国电影上映；坐车到王府井南口，在那家我觉得很气派的新华书店里，又能买到纸张很白的，印刷得很不错的再版书，比如王国维的《人间词话》，还有骆宾基的《山村收购站》那样的，确实相当有艺术性的，描绘新时代新人物的新版小说集……报纸副刊也似乎又好看了许多，我试着给一些副刊投稿，稿子不那么富有战斗性，只是写些普通人的美德，竟也能被刊登出来……1963年，我对它的好感，后来在个人记忆里，都压缩到了国庆节那个夜晚，在寂静的校园里值班，从天安门那边传来的，穿林渡水的乐音里了……

　　是的，二十一岁的我，还很幼稚，虽非常地愿意进步，却全然不懂政治，并且我只是北京城里一个普通的市民，根本不可能获得"幕后消息"，甚至连有"幕后"的"两条路线斗争"这一点，也都茫然不知；比如，我直到很久以后才知道，那时候北京人艺"躲"到人民剧场，不事宣传地重演《茶馆》，是顶着千钧压力的……后来，我在二十四岁上，遇上了令我目瞪口呆的局面。但即使在最糟糕的情况下，我心中也还是没有芟除掉这样的想法：倘若顺着 1963 年我所感受到的那一面发展下去，该多好啊……

　　直到现在，我还难称成熟，但我至少懂得了，像我这样的普通百姓，虽然单个而言是脆弱的芥豆，可是那心底深处的向往所聚合出的力量，却是难以计量、不可阻挡的。改革开放的时期终于来临，这个我更深入地参与其中的历史进程里，也出现过那样一个夜晚。我坐在一个水池旁的长椅上，水池那边，草坪和树丛的尽头，是一座簇新的大礼堂，那里面正举行着尽情嬉戏的舞会，一些历尽劫波终获解放的人，还有一些认为"生活本来就是这样"的，未免显得过分恣肆狂放的，才刚进入青春期的，泼辣的生命，以及一些过去整过人而现在可能是搂着当年的被整者，轻盈地旋转着的人，还有一些难以用这类简约的词语加以概括的"人啊，人"，他们的欢声笑语，拌和着悠扬的乐音，穿林渡水，随风送入我的耳中，注入我的心房……记得那时我默默祝祷：无论再出现什么意料之外的情况，改革开放的历史进程可千万不要中断！

　　我是一个极愿与大家共建幸福家园的人，却又是一个宁愿在大众狂欢时，在僻静处，从那穿林渡水的乐音中，吮吸时代蜜汁的人。愿美妙的乐音永在，愿我常能在边缘静处，从飘来的乐音中获得慰藉与激励！

钓金龟

我住在北京残存的一段护城河边，十多年前对它有过一次彻底的疏浚，基本上杜绝了工业与生活废水的污染，本可成为一道清澈溶碧的风景，但一年四季，总会有路人往里头满不在乎地丢弃杂物，最多的是食物饮料的软包装，虽然每过一段时间，会有绿化队的工人划着小船来捞拾清理一番，但经常是捞到这边，那边已清理过的水面又会咕咚一声落进杂物，唉，这过往的行人当中，怎么环境保护意识差的比率竟如此之高呢？

这天我到护城河边散步，感到景象有点异常。怎么忽然会有这么多钓鱼的？护城河边的钓鱼人，一向都有，本不足怪，可是这天我家附近的河段，钓翁却实在是多得刺眼，不仅有拿鱼竿钓的，更有支起大捞网一网又一网捞的，甚至于还有用汽车轮胎做成皮筏，爽性划到河当心去捞捕的，围观的人也多得离奇，仿佛都在期待着某种奇迹。

以往散步时，我也曾观察过河岸边的钓鱼者，还曾和某些钓翁交谈过，他们也曾将钓得的鱼儿向我展示，最辉煌的斩获也无非是些三五寸长的瘦白条儿，若说实用性，大概只能拿回家喂猫，有的临回家时会再把钓到的小鱼放生，他们所追求的，实在只是垂钓过程中的那一份持久的宁静与鱼儿上钩瞬间的快感。若干垂钓者，于我已是面熟影悉。

这天猬集的钓捞者，却大都面生，有的似从远处而来。我正疑惑间，有一邻居递我一张头天出的晚报，原来那报上有条配照片的新闻：一位老人在护城河钓鱼，忽然发现一黑乎乎的东西，捞上来一看，原来是一只大水龟，该水龟身体健康，眼不凹陷，分量足，长 55 厘米，宽 33 厘米，重 13 公斤，估计龟龄在 30 年以上……目前已送交北京动物园爬行动物馆展出……

啊，原来这么多人麕集到这护城河边，其中大部分人，都是为了再钓捞到水龟呀！从一些钓捞者言谈中，我听出他们的意思是：水龟不能算珍稀动物，特别是小个头的，谁捞着了，就该归谁……我心里很难过。当然，不能说这场面中所有的人都有问题，但总体而言，和过往这护城河边乱丢杂物的路人一样，不得不说：平均的心理素质、文明程度，实在还太低！

这还不仅是凑热闹，这里有博彩心理在作怪，总企盼用最简便的方法，陡得好处。我联想到最近政府不能不明令禁止的传销，其实在国外一些地方，正式注册的直销和传销，在严格的法律约束下，是不失为一种生产与经营方式的，可是，因为我们国民心理素质、认知水准、文明程度的平均值实在还低，所以传销被扭曲为"老鼠会"式的非法集资活动。本来我们中华文化传统中，是最珍惜亲情友情的，所谓"虎毒不食子"、"兔子不吃窝边草"，可是在畸形传销的狂迷运作中，因为急于发展"下线"，以快速进入"坐地收钱"的"金章"、"银章"行列，竟大规模出现了"杀熟"现象，以至父子反目、兄弟阋墙，多年纯真的友谊毁于一旦。细细想来，如集邮、拍卖等活动，由于参与群体的平均素质也都偏低，所以种种畸象和问题也都纷至沓来，令人焦虑。

京剧传统剧目中，有出《钓金龟》，本来母子安贫乐道，日子过得融洽恬静，谁知忽一日儿子钓得金龟，一笔横财搅得母子几乎离散，虽说到头来以儿子反悔收场，是出喜剧，可是留给观众思考的空间，直到今天仍很宽阔深远。贫非福，富非罪，无论个人、家庭还是国家、民族，摆脱贫困、追求富裕都是天经地义，但是发达不能靠横财，致富不仅需要守法，更需一步一个脚印地坚实迈进。凡事不可一窝蜂，莫做钓得金龟梦！

这两天护城河边又消停了，据说是再无人钓捞到水龟。即使仅仅为了家门前这段护城河中水龟的安宁，我也应为提升自己与同胞们的文明素质，而不停息地反思、申说！

怒　绿

那绿令我震惊。

那是护城河边一株人腿般粗的国槐，因为开往附近建筑工地的一辆吊车行驶不当，将其从分叉处撞断，我每天散步总要经过它身边，它被撞是在冬末，我恰巧远远目睹了那惊心动魄的一幕。那一天很冷，我走拢时，看见从那被撞断处渗出的汁液，泪水一般，但没等往下流淌，便冻结在树皮上，令我心悸气闷。我想它一定活不成了。但绿化队后来并没有挖走它的残株。开春后，周围的树都再度先后放绿，它仍默然枯立。谁知暮春的一天，我忽然发现，它竟从那残株上，蹿出了几根绿枝，令人惊喜。过几天再去看望，呀，它蹿出了更多的新枝，那些新枝和下面的株桩在比例上很不协调，似乎等不及慢慢舒展，所以奋力上扬，细细的，挺挺的，尖端恨不能穿云摩天，两边滋出柔嫩的羽状叶片……到初夏，它的顶枝所达到的高度，几与头年丰茂的树冠齐平，我围绕着它望来望去，只觉得心灵在充电。

这当然并非多么稀罕的景象。记得三十多年前，一场大雷雨过后，把什刹海畔的一株古柳劈掉了一半，但它那残存的一半，顽强地抖擞着绿枝，继续它的生命拼搏，曾给住在附近的，大苦闷中的我，以极大的激励，成为支撑我度过那些难以认知的荒谬岁月的精神滋养之一。后来我曾反复以水彩和油画形式来刻画那半株古柳的英姿，可惜我画技不佳，只能徒现其外表而难传达其神髓。进入改革开放时期，我曾在大型的美术展览会上，看到过取材类似的绘画。再后来有机会到国外的各种美术馆参观，发现从古至今，不同民族的艺术家，以各种风格，都曾创作过断株重蹿新枝新芽的作品。这令我坚信，尽管各民族、各宗教、各文化之间存在着若干难以共约的观念，但整个人类，在某些最基本的情感、思考与诉求上，是心心相通的。

最近常亲近丰子恺的漫画，其中有一幅他作于 1938 年的，题有四句诗的素墨画："大树被斩伐，生机并不绝，春来怒抽条，气象何蓬勃。"这画尺寸既小，所用材料极简单，构图更不复杂，却是我看过的那么多同类题材中，最有神韵，最令我浮想联翩的一幅。是啊，不管是狂风暴雷那样的天灾，还是吊车撞击那类人祸，受到重创的残株却"春来怒抽条"，再现蓬勃的气象，宣谕超越邪恶灾难的善美生命那不可轻易战胜的内在力量。丰子恺那诗中的"怒"字，以及他那墨绘枝条中所体现出的"怒"感，都仿佛画龙点睛，使我原本已经相当丰厚的思绪，倏地提升到了一个新的高度。

今天散步时，再去瞻仰护城河边那株奋力复苏的槐树，我的眼睛一亮，除了它原有的那些打动我的因素，我发现它那些新枝新叶的绿色，仿佛是些可以独立提炼出来的存在，那绿，是一种非同一般的绿，倘若非要对之命名，只能称作怒绿！是的，怒绿！

那绿令我景仰。

画宗璞

一

　　有一回，一位海外来华研究中国当代文学的学者，访问宗璞时问她："当代中国大陆作家里，你跟谁比较好？"她说："我跟刘心武比较好。"对方颇为吃惊。宗璞答完，大概自己也比较吃惊，所以后来她打电话告诉了我，并且笑着说："……她那么问我，不知怎么的，我就那么答了……"我听了，自然也吃惊。

　　我管宗璞叫大姐。宗璞大姐在文坛，是个人见人敬、人见人爱的才女。选举时，她得票率极高，倘若她自己也投自己一票，那很可能达到百分之百。她长期患病，身体一直欠安，因此写得很慢，要求自己又严格，常常是，写了好几百，乃至上千字了，觉得不好，便马上撕掉。但是，因为她毕竟是稍能振奋精神时，便勤奋握笔，所以细水长流，慢工细活，过一段时间，回头一看，帮她算算，所出的书，所发表的作品，却也相当不少。远了不说，起码这二十年来，她是个年年有作品的，贯穿型的作家，这在她那个年龄段的作家群里，是难能可贵的。而且，宗璞大姐的成就、威望，这些年来呈扶摇直上之势。也许恰恰是因为这种情势，愿意接近她的，跟她密切来往的，与日俱增，我这么个惹懒人物，或者像某位同行，当着我面，很同情地给我定的位——"死角里的人物"，也就觉得，不必太多地凑上前去了。当然，宗璞大姐跟我的想法不一样，我过很长时间才给她挂一个电话，她很高兴，一点没觉得我"多余"，甚至于还有些个"惊乎热中肠"，嗔怪我何以"好久没有消息"。

二

　　算来，我差不多两年没跟宗璞大姐见面了。这两年里，通电话也有限。我承认，自己的性格，似乎越来越孤拐，也许是，经过这些年生活遭际的磨炼，胸腔里的一颗心，是内里越来越热越软，外壳却越来越冷越硬了。这两年里，凡见到宗璞大姐的文字——有时候是发表在并不怎么流行的偏僻刊物上——总还是要习惯性地精读细品，读完，少不得要推荐给晓歌（我爱人），她读完，又总要讨论一阵。也常说，该把我们的反应，告诉宗璞大姐，其实拨个电话很简单，举手之劳，我又有的是"煲电话粥"的时间，却总是"驾不起事"（这是四川话，意为不能落实于行动），懒懒散散的，到头来，是并没拨去电话。

　　可是，在一个我没有去的会议上，宗璞却在大庭广众中，为一桩关系到我的事，为我抱不平。她想到了，不是懒懒地，想说，到头来，却没说，而是，想到了，也就说了，说得清清楚楚，淋漓尽致。以我这样一个已然自愿"出局"，又极不善为人处世，厌者颇多，甚至于还被个别家伙恨不能诬为"叛逃者"加以灭门的，背时的人物，谁愿再为我出来说一句半句公道话呢？宗璞大姐却为我说了。她说了，近乎白说，因为即使是还能跟我说话的，在场的人物，也想不起来给我报道一下，到头来是宗璞大姐自己，与我通电话时，想起来，跟我说了一遍。我听了，真是感动莫名。

三

　　宗璞大姐说，跟我好，好在哪里？好在坐在一处也罢，通电话也罢，有话说。也就是所谓的，有共同语言吧。我们能有什么共同语言？宗璞大姐的学问，无论中国古典，还是西洋今典，我哪有半点分毫？与她论学，我实在没有资格。谈创作？交流写作经验？有那么一点点，如她说我总是想把事理写得清清楚楚，认为不可取，给我很大教益。又说投稿被退，乃写作者的"兵家常事"，使我意识到，写作时还是要依着自己的信念，由着自己的性子撒欢儿写，虽说写完并不是只打算搁在抽屉里，还是想投给编辑部,争取发表的,但万不可尚未动笔,便揣测编辑部意图嗜好,以"降军"姿态前往……这些交谈虽甚欢愉,究竟也还不是我们"共同语言"的核心部分。那么,我们"共同语言"的核心部分,是些什么?

却一下子说不出来了。

大概其都是些孩子话吧。

宗璞大姐写童话。童话不是每个人都能写的。技巧倒在其次。关键是要有一颗童心。宗璞大姐养猫,曾有一只耷耳朵的,名小花,我们交谈,小花一旁偏着耳朵,瞪着眼睛,似随时打算参与进来。宗璞大姐说:"小花如果开口,吐出人话,我是一点不会惊讶的。"我有同感。说起我家的三只大猫,一曰睛睛,二曰狸狸,三曰喵喵,也是很通人性,并且在家中与我们有着一样的地位、尊严,宗璞很理解。所谓"宠物",这称谓是一种误导,不能把它们视作"物",它们也是生命啊!生命都是金贵的。甚至于,不仅动物,植物也如是,是有灵性的,宗璞大姐说起她家屋外的三棵松树,亦即冯友兰先生用以命名其书斋"三松堂"的那三位披绿针衫的老人,他们只不过是不会走路罢了,其余方面,与人何异?望尽悲欢离合,听足生死歌哭,历遍风刀霜剑,尝够酸甜苦辣……悠悠岁月,风过微语,相对憬悟,何必多言?还有她家南窗外的几丛丁香,花开花落,籽饱籽裂,春送馨香,秋旋飘叶,氤氲中散多少情思,静默中传多少心意,谁能说他们的魂魄,就比人类单薄肤浅?也不光是植物,就是土石,也不能小觑轻亵啊……宗璞大姐的作品中,有曰《核桃树的秘密》者,有曰《丁香结》者,有曰《三生石》者,岂是偶然?

我和宗璞大姐,大概是在这一类与仕途经济,与名坛利场,与选票座次,与人情世故,与同行长短,与时尚潮流……都了无关联的闲谈慢语中,获得了若干浮世中的促膝之乐吧,所以她说,跟我不错,算得朋友吧!

四

其实我这个人,虽说"自外"于某些人与事,决意取边缘存在的惨淡写作方式,来消费自己的生命,但跟宗璞大姐比较起来,还是心浮气躁的,世俗性的焦虑,过分鲜明的爱恨情仇，往往还在心尖蹿动。宗璞大姐是真正的闲云野鹤，甚而至于，我觉得，她像个菩萨，偶尔跟她提起一些人间烟火事，尤其是，提及某家伙如何心狠手辣，把我往死里害，她吃惊到天真的地步："是吗？……真的吗？……哎吮，怎么会那样？……"她理解我的情绪，却又总是奉劝我："不去管他吧……你要好好生活、好好创作！"她亲切的话语，如观世音用柳枝，从金瓶中蘸出圣水，挥洒到我身上，渗入我心坎中，我受伤的心灵，从而得到巨大的慰藉。

五

我和宗璞大姐，都是"红迷"。最近跟她通了一次电话，她还建议说，什么时候找几个同好，开个茶话会，专门"谈红"。我对《红楼梦》中秦可卿的探究，她并不以为然，却又极喜欢听我"侃秦"。她真是"我不一定同意你的意见，但为了捍卫你自由抒发出意见的权利，我甚至于甘愿牺牲"这一原则的坚定履行者。我已发表了《秦可卿之死》、《贾元春之死》，正构思《妙玉之死》，把一部分构思跟她讲了，她大为诧异，那意思，似乎是认为"亏你想得出来"，"更向荒唐演大荒"，但她又鼓励我把《妙玉之死》写出来。我曾说过，我的喜欢"谈红"，并终于大胆"研红"，很受我母亲的影响。我曾随口说过，我母亲对《红楼梦》如何熟悉，甚至于能说出秦显家的与王善保家的是什么关系，这话别人听了只当耳旁风，谁去追究，惟独宗璞听者有心，并向我郑重发问：她们是个什么关系？这说明她这人既天真，又认真。其实，我母亲只是一个普通的"红迷"，并不具备有关"红学"的基本知识，她是不仅把前八十回和高续的后四十回混为一体，也把她年轻时看过的某些续书里头的人物关系和情节，混为一谈的。秦显家的是司棋的婶娘，王善保家的是她姥娘，这在前八十回中有明文，二者当然是亲戚，记得母亲还说过，有一种续书，是把王夫人的陪房周瑞家的，跟邢夫人的陪房王善保家的，这两个互相合不来的人物，也勾连为亲戚的：周瑞的女婿冷子兴，跟王善保的外孙女儿司棋的情人潘又安，互为姨表兄弟，之间又演绎出种种离奇的遇合。宗璞连这样的谈资也很关注，更说明她那超越功利的一派童心，是何等趣味盎然。宗璞大姐长期患病，光是乳腺癌一症，便动过三次大手术，历经三十余年，却至今仍能读书写作，若问她有何抗癌妙方，我代她答曰：永葆一颗超功利的无尘童心！

六

我和宗璞大姐结识，是在1979年作家协会第一届全国优秀短篇小说奖的颁奖活动中，那回她以《弦上的梦》获奖，那是一篇文学性很强，文字很优美，继承、发扬了她在1957年的成名作《红豆》文脉的佳构，但因其内容涉及"文化大革命"，也被视为是"伤痕文学"的作品之一。当时"伤痕文学"一方面有人欢迎，有人肯定，一方面也有人贬抑，乃至攻讦。万没想到的，像我、卢新华等的作品，还只不过是被指斥为"缺德"而已，她的《弦上的梦》，竟被一位很有地位和影响的人物，到现在我都不便写出的，不仅是政治上彻底否定，而且还用带有明显侮辱性的词语，加以了恶谥。这对一位女士，尤其是宗璞大姐这样书香门第的大家闺秀，真是难以承受的遭遇。当时她内心有过怎样的波澜，我不清楚，但她表现得很平静，甚至于反过来，为那人因专断成性，竟急不择词，出口不雅，而感到难为情。这种以大悲悯对待人世争端的态度，令我感佩，却也使我觉得，世上几人能如此？我说宗璞大姐是菩萨，这也是例证之一。

七

我称宗璞为大姐，首先遭到了母亲的训斥。那是因为，我的祖父，与冯友兰先生，以及宗璞的两位姨父，都有过交往，而我母亲在未嫁给我父亲前，也已出入过冯家，我的父母与宗璞，是平辈的，我矮了一辈，从世交角度，我应称宗璞为阿姨才是。我明知母亲是对的，但叫大姐叫顺嘴了，很难改过来，并且宗璞大姐也知道我祖父与她父亲曾交往，有那么一层关系，却对我呼她为大姐，并不以为忤逆，她对我说："就叫大姐吧，叫大姐很好！"后来有一天，宗璞由女儿小钰陪着，到我家附近的地坛公园参加一种有疗治作用的抗癌气功活动，事毕，顺便到我家小坐，恰巧我二哥从成都出差北京，也在我家，二哥见我呼宗璞为姊，认为极不礼貌，他在成都与宗璞表哥交往甚多，称为孙四叔，所以也便称宗璞为冯阿姨，弄得我很尴尬，倒是宗璞本人乐乐呵呵的，认为怎么样称呼是很小很小的，完全无所谓的事，她所看重的，只是人际交往中是否有一派天真率直。经她首肯，并予以鼓励，我便始终没有改口，直至今天，仍大姐大姐地叫她，她也受之如饴。

八

因为和宗璞大姐都热爱《红楼梦》，所以总想拿《红楼梦》中的人物来比拟宗璞大姐，以宗璞大姐的身份，本应以"金陵十二钗正册"中的某一钗来作比，但正十二钗基本上都是悲剧性角色，探春、巧姐虽结局尚好，却都不能用来乱作比拟；想来想去，似乎薛宝琴差可作比，按在书中所占篇幅，宝琴比妙玉要多，且属贾王史薛四大家族成员——妙玉非四大家族成员而入正十二钗行列且排名第六，何故？这是我欲与宗璞大姐讨论的一个问题——虽然从年龄上说，用之来比拟宗璞略觉不妥，其他方面，似都相当贴切。宝琴在大观园的恩爱情仇中超然物外，一颗童心，一派天籁，其才华极为出众——所撰"新编怀古诗"十首，至今无人敢说所猜便是准确谜底——她又与外部世界有所接触，屡痕累累，见多识广，与"真真国"的女诗人有过交往。特别是，书中写到，在粉妆银砌的雪坡上，宝琴披着凫靥裘站在山坡上遥等，不一会儿，身后来了丫头小螺，抱着一瓶红梅，那纯净幽美的形象，令人赞叹不止。我若画一宗璞大姐雪中凝思图，将小钰作捧瓶梅的陪衬，不也有趣么？宗璞大姐及热爱她的友人读者，是否觉得我拟于不伦了？但我却很可能，真画出这样一幅想象图来哩！

1998 年 8 月 31 日，绿叶居

王府喉掸

　　我一度跟王爷过于甚密，不过，可不能说我们"相见恨晚"，他原来哪有认识我的想法，我更没结识他的欲望，但外在的某种社会原因，使我们两个人竟时不时地凑到了一起，面对面地酌酒闲聊一番。

　　那时我们同住一条胡同，各在一所杂院里，住着一间狭窄的东房。这些相联属的杂院，几十年前，都是他们王府的组成部分，当然，又都不是主要的部分。是些"下房"，还有马圈什么的。我说的这位王爷，是真王爷。虽说一九一二年清王朝就倒台了，但他们那个王府，一直苟存到二十年代末，才终于破产瓦解。他生于一九〇五年，他父亲，老王爷，死于一九二五年，那时他已经二十岁，因是长子，名正言顺地袭了王爵。据说他父亲死前，还想办法从住在天津张园的溥仪那里，为他取来过有关的御旨诏书。

　　我比王爷晚生了三十七年，我们俩相聚时，我二十八岁，他六十五岁，算是忘年交吧。我们的共同语言，是侃《红楼梦》。侃"红"的重点，则是其中的饮食描写。我们都看不起高鹗，原因是，高续第八十七回，写林黛玉吃饭，开列出的食品，竟是火肉白菜汤、虾米、青笋、紫菜、江米粥、五香大头菜——可见高鹗根本不懂得当年贵族之家在吃上的讲究。至于前八十回曹雪芹的饮食描写，王爷也并不觉得多么地见多识广。比如对茄鲞的描述，我觉得真是匪夷所思，工序竟如此的复杂。王爷冷笑着说，那还远不是什么费工的菜肴。他告诉我，当年他们王府有一道荷花莲蓬鸡，是按宫里的做法，需要三十九道工序！

藤 萝 花 饼

　　我和王爷大侃食经之时，那是连猪肉、食用油也要凭票供应的，加上我们的收入都很低——他比我更低，靠每天打扫胡同，每月拿二十几块钱的"清洁费"过活——都不可能上饭馆去。生动地描述着当年所享用过的美味佳肴，也算是画饼充饥，聊胜于无了。

　　有一回，我又逃避社会上如火如荼的"运动"，悄悄跑到他那小屋去"逍遥"，他高兴地跟我说，搞到了些个榛子，制成了一点酱，豁出去用足了油，还有肉末什么的，炒了一碗榛子酱，让我跟他一起，用那炒榛子酱下饭吃。我开头纳闷，这样的酱，拌面条，抹馒头窝头，岂不是更般配么？为什么偏要拌饭？他给我解释说，他少年时代，"还没学坏时"，在王府吃家常饭，最喜欢这种吃法。我一试，炒榛子酱拌糙米热饭，就一杯最便宜的茶叶末沏的粗茶，那滋味真是妙不可言，竟一连吃了他两碗！

　　又一回，我问他：你"还没学坏时"，最爱吃炒榛子酱拌饭，那你"学坏"时，又爱吃些什么呢？他连连叹息说，那真是造孽——时不时地，或在大饭庄子里，或爽性把厨师们请到王府里，搞满汉全席！他说，满汉全席共有一百三十四道热菜，四十八道各色冷荤、点心、水果，要用三天时间，分六次，才能吃完！我听了目瞪口呆，说：呀，那怎么消化得了啊！恐怕每天吃了头一顿，就再吃不下第二顿了！他说：那是，不过，当时有办法。我问他有什么办法？他良久不言语，后来，他跟我说，知道我不会去揭发他"怀恋腐朽的剥削阶级生活"，他可以给我看一样东西——那是他当王爷时所遗留下的唯一的东西，"红卫兵"抄家时也没抄走，因为如果他不说明，谁也不会注意那东西……他从铺板下一个装衣物的大纸匣子里，掏出一样东西递给我。开头我以为是踢着玩的鸡毛毽，后来在他解释下仔细一看，是个可以伸进喉咙里的小鸡毛掸子，那鸡毛已然乌糟霉变……啊，原来，那时他们一班王公贵族，吃满汉全席时，为了吃了还能再吃，不停地吃，常常地，用这个喉掸，伸进喉咙里去催呕，以便腾空胃袋……

　　我心中作呕，忙把那王府喉掸掷还给王爷，没想到这时他叹了口气，说了句掷地有声的话："光冲这玩意，也不能不革命啊！"

远去的雪橇马铃声

　　普希金虽然只活了三十八岁，却跨越着两个世纪。从他开始，俄罗斯的文学艺术走向灿烂辉煌的峰巅，不仅成就卓著的作家作品接二连三出现，举凡音乐、舞蹈、戏剧、绘画、雕塑、建筑……每一领域都为全人类提供了很不少的经典之作。到 19世纪末 20 世纪初，尽管俄罗斯社会矛盾越演越烈，终至爆发了牵动全球的革命，但俄罗斯的文学艺术依然笑傲四海，像电影那样的新兴艺术门类，动荡的俄罗斯不仅绝不比法国、美国落后，甚或还要先进许多，观摩、分析普多夫金、爱森斯坦这两位俄罗斯电影大师的作品，至今还是各国大学里电影专业的必修课。

　　在中国最近纪念普希金二百年诞辰的活动中，北京电视台推出了根据普希金原著改编的电影展播，其中绝大多数是苏联时期拍摄的，个别是苏联解体以后的新片，有《上尉的女儿》、《驿站长》、《暴风雪》、《黑桃皇后》、《村姑小姐》多部。这样的集中展示，不仅使我们亲近了普希金，也令我们重温了灿烂的、别具韵味的俄罗斯文化。

　　一个民族的文化，尤其是文学艺术这个领域，固然不可能不受到政治国情的影响，但又往往并不一定与政治国情同步。中国的京剧，就恰恰诞生并成熟于政治最黑暗、内忧外患极其深重的情势下。这次北京电视台展播的"普著片"，有的，如拍摄于1959 年的《上尉的女儿》，似乎把农民起义领袖普加乔夫的戏份安排过重；有的，如大概是近些年拍摄的《村姑小姐》，在女主角的选择上，似乎有以现代趣味取代古典风范之嫌，显然，都是拍摄时期特定的政治取向和时尚潮流的投影。不过，尽管如此，毕竟拍的是"普著"，其基本元素是俄罗斯文化那斩不断碾不碎的魂脉，所直接展现与内在蕴涵的"俄罗斯诗情"，仍具有超越时空的特殊魅力。

这些影片中，常常出现马拉雪橇奔跑的镜头。三匹大马的鬃毛在轭下闪动，马蹄刨踢出飞扬的积雪，有时整个画面还笼罩在纷飞的雪霰中，马颈下的铃铛是欢快还是凄楚地鸣响，全凭剧情的引导，由你的心灵感应定位。这马拉雪橇或穿过枯枝如网的白桦林，或远离萧索破败的军事要塞，或奔向灯火璀璨的贵族豪邸……配合着三弦琴参与其中的交响音乐，哎哎，光是这片段的场景，就令人铭心刻骨地意识到：这是俄罗斯，永远的俄罗斯……俄罗斯秋短冬长。普希金写道：

> 啊，忧郁的季节……
> 天空笼罩着一层轻纱似的幽暗，
> 还有那稀见的阳光，寒霜初落；
> 苍迈的冬天远远地送来了恫吓。
> 我叫人把马牵来，它载着骑马的人，
> 摆着鬃毛，向一片辽阔的荒野驰奔，
> 在闪亮的马蹄下，冻结的山谷响着
> 清脆的嗒嗒声和薄冰爆裂的声音……

在马上就要结束的 20 世纪里，俄罗斯仿佛总在三驾马拉的雪橇里，呼号着狂奔，一路还摇响着并不轻盈的马铃。

问到一些年轻人，他们不怎么看重这样的俄罗斯电影，他们更喜欢好莱坞的大片。俄罗斯的古典文学艺术里似乎太多对民生疾苦的关注，太多触及灵魂的人性叩问，太多的忧郁，太多的忍耐，太多的道德意味与"为什么""怎么办"的启示，因而深沉有余，直接诉诸感官的，冰激凌式的愉悦性不足。北京电视台所选播的这几部"普著"电影，只有《村姑小姐》轻松一点，其余的都未免"沉甸甸"的，令人"掩卷"

后不得不思索一番，这对把电影当做"入梦"，出"梦"后便立即"回归自我"的观众来说，未免"枯燥难懂"。

普希金二百年诞辰的纪念活动，如远去的雪橇马铃声，渐渐融入"往事"中。"普著"改编片我却还没看够。鲁迅那一代的中国文学艺术家，对俄罗斯、苏联的文学艺术，包括电影创作，是极其推崇的。《鲁迅日记》里有关于到苏联驻上海领事馆观看影片《复仇艳遇》的记载。《复仇艳遇》就是根据普希金小说《杜勃罗夫斯基》改编拍摄的，后来一定重拍过，不知为什么这回的"普著片"展播里没能搜集到这部应该是最富传奇性和浪漫气息的片子？还有拍摄于 50 年代的歌剧片《叶甫盖尼·奥涅金》，当时在中国公映过，质量相当好，我也很盼"鸳梦重温"。

我认为，各民族文学艺术中的经典作品、优秀之作，是全人类共享的精神食粮。虽然现在俄罗斯的文学艺术作品，尤其是电影，似乎不像西欧、美国，乃至拉丁美洲的作品那么在中国时髦了，但那毕竟是一座精神食粮的富仓，不应被忽略、轻视。听说前些时俄罗斯出了部极好的影片《西伯利亚的理发师》，在其本土的票房超过了号称"无往而不胜"的好莱坞大片《泰坦尼克号》，观众为它在电影院售票窗外排起了长队，这是多年来俄罗斯放映国产片时所未出现过的现象。什么时候中国观众也能看到这部"俄罗斯大片"呢？远去的雪橇马铃声，是否又会回转，渐近渐响？

永远在一起

50 年代，我读了大量苏联小说，其中很大一部分是以反法西斯的卫国战争为题材的长篇小说，如《青年近卫军》、《日日夜夜》、《普通一兵》、《真正的人》、《虹》、《白桦》、《钢与渣》……以及爱仑堡那气势恢弘的，以《暴风雨》打头的三部曲，等等。以上提及的，都是比较著名的，大概许多同龄人都还记忆犹新吧。

可是，有一本《永远在一起》，给我的印象相当深，事隔多年，我问到许多的同龄人，他们却一点印象也没有，或者当时就没读过，或者虽读过但没能留下任何记忆。那时苏联文学的翘楚，都以是否获得过斯大林文学奖金为标志，一旦作品获奖，作者也就平步青云，翻译到中国，自然也就大力地向读者推荐，甚至列入必读的书目。不过那时中国的翻译界、出版界，对苏联文学作品真有点趋之若鹜，不仅获得过斯大林文学奖金的必努力翻译出版，就是很一般的，二、三流的作品，也积极译介到中国。《永远在一起》的作者，在苏联大概算不上是多么著名的作家，这部长篇小说，大概也没得上什么奖，所以恐怕也就难以归入一流的作品，但它毕竟被翻译，被出版，至少被我这样的中国读者阅读过，并还记得。

中文版的《永远在一起》，好像是当时一家叫"时代出版社"的机构出版的，那家出版社似乎以译介苏联文学及社会科学读物为其主业。书印成大三十二开，好像比时下流行的大三十二开在横、宽上都还要舒展一些，封面很素雅，书名在下方，上面是一幅从书中选出的粗线条黑白插图。作者是谁？这本书我从 1956 年左右拥有后，一直保留了十年，那期间我复读过不止一回，并且借给过朋友，当然记得作者的名字，但后来诡谲的世事，使我一度对文学整个儿失却了兴趣，再后来历经了许多的人世沧桑，年岁也渐大，记忆力大衰退，现在我怎么回忆，竟都无法道出那作者的名字了，译者更记不得，虽然如此，我还是要感谢这本书。

这本《永远在一起》，写的是苏联远东地区，后贝加尔湖的一个小镇上，一所中学里的师生们，在卫国战争期间的生活与情感。它的选材，是很边缘的。大概作者本身就定居远东，在当时苏联文坛上，地位也很边缘。小说没有什么惊心动魄的战争场面，因为希特勒的军队没有打到他们那个地方。小说就是写一些普通的中学生，他们怎么陆陆续续地告别家乡父老，前往前线，而他们当中为数不少的人，却再也没有回来。有的教师也是如此。有的年纪较大的，尤其是女教师，如何在艰苦的时世里，继续认真地进行她们的教学工作。那所学校的师生们，在新年晚会上，总是互相祝愿：我们要永远在一起！那当然主要是指心灵上的凝聚。后来许多人牺牲了，活着的人们，把他们永嵌在心中，誓不忘怀。

这应该算是一本很平庸的作品么？现在回想起来，它虽然在当时的苏联文坛上未曾走红，那作者似乎也始终未能飞黄腾达，但我们不应以一时的荣辱浮沉来势利地批判作家与作品。它给予了我这样一个喜爱文学的中国少年（初读它时我十四岁）一些心灵上的感染，绝非偶然。像我文首所开列的那些当时的名著，大体而言，都洋溢着充沛的英雄主义和乐观主义的情绪，那是那个历史时期的主旋律，对我自然有着巨大的影响。但它们当中的不少作品，似乎又有些个美丑贤愚对比过于分明，文本雄浑有余而细腻不足。因此，读到《永远在一起》时，它那以边缘地域的边缘存在为描写对象，而且出现了许多平凡的角色和非常生活化的琐碎细节，蕴涵着丰沛人情味的文本，反而给了那时的我耳目一新的阅读感受。

还记得书中有这样的抒情语句："后贝加尔湖的春天啊……"其实是十分平常的句子，可不知为什么，我很被其打动。那是远离莫斯科、远离战场的地方，但笼罩于全苏联的焦虑，自然也给远东地区的人们带来了一份沉重，春天却天真烂漫不知愁，依然繁花乱开地降临到了后贝加尔湖地区……这使我的那颗少年心，似乎倏地成熟了许多。

苏联文学对卫国战争的描写，到了 60 年代，又以表现残酷性为时髦；至 70 年代，则反英雄主义、反乐观主义又大行其道；80 年代后，更有许多的花样翻新，我也都读过一些。也许是因为年龄大了、阅历多了，心不再那么嫩，情不再那么纯了吧，不管这些作品立意上如何新锐、文本上如何颠覆、技巧上如何精妙，它们却再没有任何一本，能使我留下对《永远在一起》那样的忆念。是的，少年时的某些阅读印象，是要跟我们的心灵跃动，永远在一起的。

1999 年 4 月 13 日，绿叶居

装满自己的碗

一位记者来问我对"中国作家走向世界"（或"中国文学走向世界"，两种提法只有微弱差别，这里不细论）有何看法，我说该说的话早在几年前就说过了，懒得再说了。他讶怪我"何以对如此重要的问题漠不关心"，我跟他说，这问题对我个人来说，实在很不重要，而且，完全可以漠不关心。

不少中国人，把获得诺贝尔文学奖看成天大的事。似乎那才是中国文学、中国作家走向了世界的标志。如果有中国作家获得了诺贝尔文学奖，我会为他高兴。但那很可能仅是他个人的一项名利双收的喜事，中国文学该怎么样，恐怕还怎么样，其他中国作家该怎么样，恐怕就更还是那么样。尤其是，我们别忘了，现在有很不少的中国作家，侨居在国外，有的已获得过仅次于诺贝尔文学奖的某些在西方很有权威性的文学奖项，有的已得到过名次提名，有的其作品被译为西方语种的数量和获得的好评，都远超过留在本土的作家们，更有直接用西方语言写作由西方大出版社印行的，根本毋庸再"走向"。这些在"近水楼台"的中国血统作家，其中某一位很可能在最近的将来"先得月"，而他那获奖作品，根本就还没在中国大陆本土出版过，你说那跟我们本土作家的写作，以及本土读者的阅读，乃至本土批评家的工作，究竟能有多大的关系？

我 1992 年应负责评定诺贝尔文学奖的机构——瑞典文学院邀请访问过，并且有幸聆听过该年度该奖项得主沃尔科特的获奖演说。我那次访问的最大收获，就是知

藤萝花饼

道了瑞典文学院的院士们，对有作家为得他们那个奖而写作，持笑掉大牙的态度。

作家为什么写作？会有各种各样的出发点和目的地。如果有的为走向斯德哥尔摩的颁奖台而写作，我是不笑他的，甚或感到颇为悲壮。那也应该算是一种写作。

就我个人而言，我信奉中国的古训："守着多大的碗，吃多大的饭。"我的碗不仅不大，质量也非上乘。我深深知道自己的局限性。我是一个定居北京，用方块字写作，并且基本上只依靠一个相对稳定的读者群支持着，近年来越来越边缘化的，正从中年走向老年的、自得其乐的那么一个作家。我挺看重我自己，可是我并不企望别人也像我自己一样看重自己。我喜欢文学，喜欢写作，也不拘泥于文学写作，有了写作冲动，就写起来，或长或短，或可属文学作品，或属非文学文字，写了，很少藏之抽屉，多半觅可容纳的园地发表，发表了，很好，此处发不出，再试彼处，总发不出，也就算了。我受"文以载道"一类的观念影响较深，注重文字的思想内涵，但近年来我越来越自觉，也自如地，只遵命于我自己生命体验与良知，而非另外的指令。中国文学要走向世界？很好，但这恐怕不是我的一项义务。就我自己写出的文字而言，有一部分本土读者能乐于阅读，我觉得自己的写作使命已经完成了。中国作家要走向世界？如果从狭义上理解，那我也算是多次地出境访问，已然"达标"了，但要我成为所谓"世界型作家"，比如一旦出现在纽约或巴黎的书店里，便会有金发碧眼的崇拜者拥上来签名，那么，饶了我吧，那是绝对不可能的——如果那真是中国作家整体应为民族荣誉争取到的一种境界，请把那重任，"历史地落在"别的，有那志向的作家身上吧。

也是那位记者，逼出了我上面一番话后，尖刻地说："你是因为自己失去了'走向'的可能性，所以才取这种姿态。其实你这人野心勃勃。你说你边缘化了，又是什么读者群不大了，可是就拿最近来说，又发表着新的长篇小说，又继续在搞《红楼梦》探佚，写出了《妙玉之死》，还涉足建筑评论，更别说时不时地甩出非文学的随笔，散见于各地报刊……难道这能叫'守着多大碗，吃多大饭'吗？"

我笑辩道，这恰恰说明，我是"守碗派"。北京卖美式比萨饼的"必胜客"连锁店，有一个规矩，就是你花一份钱，可以用他们提供的一样大小的碗，一次性地到"沙拉吧"

去自取沙拉。为了在一只规定的碗里，尽可能多地装些沙拉，有的顾客真是使出了浑身解数，比如他们先用青豌豆填入碗底，再把黄瓜片斜贴在碗边，使其上半截露出碗沿，这就无形中扩大了碗的容积，然后再往里面装其他东西，"结实"的放底下，"蓬松"的放上面，装一层，浇一层沙拉酱，最后装出的一碗，比不会那么装的顾客所取用的，多出一倍不止。这很不雅么？我问过一位驻京公司的美国人，她的回答是："只要确实吃得完，没什么不好。"也就是说，只要遵守了"游戏规则"，一份钱只取一次，又真有好胃口，不剩下，不浪费，则究竟你怎么取用，吃多吃少，完全是你个人的事，别人毋庸置喙。我曾对北京"必胜客"里，用巧思妙法将自己的沙拉碗装得冒尖的食客，很是鄙夷，也曾对那里的经理建议，为什么不可以改为允许多次取用？只保留不带出店外一条限制就够了嘛，一个食客在店内能吃掉你多少沙拉呢？经理回答我说，不怕食客多吃，怕的是多拿多剩，他们试过，结论是，现在这样"守着一只碗吃"的规矩下，虽也有浪费，但剩弃的毕竟不多。由此想到我自己的写作，其实，也无非是在守着一只碗的情况下，因为胃口确实还不错，把它装得比较满罢了。我想，过些时候，我自己的胃口衰退了，尤其是，阅读我的文字的读者们对我的胃口衰退了，那我往碗里装的，该有所减少吧。倏地回忆起幼年时，家乡一位远亲，那时他很精实，每餐吃饭，都要盛成一碗"帽儿头"，上面浇以辣豆花，吃得好香。后来再见到他，已是哮喘的老人，每餐吃饭，盛的饭都不过碗边了——但无论他盛了多少饭，总是吃得粒米不剩。人生也好，食欲也好，写作也好，发表也好，守着一只碗，不逾矩，不浪费，不欺人，不愚己，顺其自然，平平实实的，也许，便算有福吧！

转过屏风

一位世纪老人对我说过，其实生死之间，不过是转过一座屏风罢了。是的，不断有人转过屏风。元旦过后不久，传来了叶君健转过屏风的消息。

我从小读叶老翻译的《安徒生童话》，一直盼望能有一天，见到这位给我带来了那么多快乐的译者。1978年夏天，我作为《十月》丛刊的编辑，终于有机会去叶老家组稿。由于"文化大革命"中对原有的文学团体"犁庭扫院"，文坛几成一片断垣残壁，百废待举，百业待兴。那时虽然党的十一届三中全会还没有召开，但党内外涌动着强劲的求变革的诉求。当时我们北京人民出版社（现北京出版社）文艺编辑室的同仁们，敢为人先，创办起《十月》，不仅想在内容上来一个大翻新，也想在文学品种上来一番大展示。编辑部派我去找叶君健，是想请他出马，在儿童文学方面给我们提供带头稿。叶老亲切地接待了我，先跟我娓娓拉家常，又给《十月》提出了许多宝贵的建议；说到儿童文学，更是谈兴甚浓，对《十月》甫筹办，便注意到儿童文学这个品种的重要性，非常地鼓励。作为组稿编辑，我急迫地想得到稿子，便问他手头可有现成的作品？他略沉吟了一下，便告诉我，儿童文学的新作一时没有，但倒有一部现成的长篇小说稿子，是在"四人帮"还没倒台时，每天白日在单位被当做"牛鬼蛇神"罚扫厕所，晚上回到家，夜深人静时，偷偷写的。我听了很兴奋，恳请他拿给我看看，说回去将向编辑室领导汇报，看能否在《十月》发表。他把稿子给了我，嘱咐说："你看看，给我提提意见。如果觉得不合适，就退给我。"那是厚厚的一大包稿子，相当沉，我骑车带回编辑部时，把它夹在自行车后座上，怕半路掉下遗失，右手扶车把，左手一直伸在后面，紧紧按住那包厚重的文稿。那是总称为《土地》的三部曲，约一百多万字。读时我有三重的惊讶。一是我这才知道，叶老并不仅仅是个翻译家和儿童文学作家，后来在处理稿件时跟他细谈，更知道他首先是用世界语和英语创作长篇小说，并在英国出版的，搞儿童文学，倒是那以后的事；二是在"文化大革命"那样险恶屈辱的环境下，不仅在单位里挨斗，他解放初从英国回来，用自己挣的版税买的三合院，也被街道上的"造反派"强行抢住了进去，受着监视，可他却居然还能偷偷地潜心写出这样的鸿篇巨制；三是他那小说的叙述方式，同我以往接触过的中国现代长篇小说，很不一样，语调非常地冷静，刻画人物不用浓彩，多用白描。后来《十月》发表了三部曲之二《自由》。

那时我住在离叶老家不远的柳荫街，一所杂院的窄小东房里。有一天晚饭后，有人敲门。我开门一看，是叶老。他微笑着说，因为我告诉过他住处，这晚散步，经过了这里，所以冒昧地来拜访。我忙将他让进屋。那时我家只有两把椅子，一把是我在小书桌前写东西时坐的，另一把放在书桌一侧，是给客人坐的，倘若客人多了，或我爱人在家，那除了一位客人，其余的就只能坐床铺，孩子那时还小，有没有客人，都基本上在那张双人床上嬉闹。当时我的虚荣心泛起，心想叶老那独门独院——"文化大革命"中强住进来的人家已经搬出——是何等宽敞漂亮，我这蜗居也太寒酸了，倘若回娘家的妻儿再回来，那就更显得转不开身了，接待跟我平等的朋友尚可，接待叶老这样的前辈名人毋乃太尴尬！我这人嘴上藏不住心里的想法，再说跟叶老也算相熟了，便把因为住房狭窄感到惭愧的意思吐露了出来。叶老蔼然可亲地对我说，他三十来岁的时候，住得比我这样还窄，是在一个破旧洋房的洗手间里，在旧澡盆上架块木板，白天当桌子，坐在小板凳上写作，晚上铺上褥子，当床睡……可是那时他很快活，因为他觉得自己能从事自己选定的、进步的翻译和写作，及其他形式的文化事业。那一晚，叶老和我聊得越来越有兴趣，以至爱人带着儿子回来后，我还舍不得他走，他也很愿意跟我爱人聊聊，还亲切地逗我儿子玩。从那以后，不仅我们俩成了忘年交，我们两家也有了来往。

藤 萝 花 饼

叶老从青年时代就追随共产党，在党领导下做了许多有利于抗日和建设新中国的工作，但他一直没有申请过加入共产党。因为后来非常地熟了，有一次他就告诉我说，那是因为，他有自知之明，他觉得自己是一个有良知的知识分子，但性格毕竟软弱，倘若被敌人抓住，施以酷刑，恐怕顶不住，所以他极愿意接受党交给他的，属于文化方面的具体任务，而且一定要把那任务完成得尽可能出色，如抗日战争时期利用谙熟英语和世界语的优势，向海外宣传中华民族的抗日业绩，以及解放后参与翻译毛泽东诗词等。可是像涉及到党内机密一类的事，特别是人事方面的机密，他觉得自己不配知道，也不想知道，因此他觉得自己在党外参与进步事业，党可以对他放心，他自己也对自己放心。他把这样掏心窝的话说给了我，使我非常感动。这些话，至今令我深思不已。

叶老真正做到了生命不息，笔耕不辍。已经到了癌细胞大扩散的状态，他竟还有新作推出。叶老转过屏风去了，在屏风这边为我们留下的不只是译作和儿童文学，还有大量的长篇小说等文学遗产，正是：曲终人不见，江上数峰青！

1999 年 1 月 12 日，绿叶居

剃头挑子

　　有天我坐在电视机前，因为某个画面引出联想，叹息了一声："唉，陶金，多好的演员啊！可惜不在了！"坐在我身边的女孩子——她随其父亲来我家做客——问："谁是陶金？"她父亲责备她说："你连陶金都不知道？原来是个舞蹈演员，后来也演电影，他在《摇滚青年》里演得可好啦！"女孩还是莫名其妙。可我一点也不记得《摇滚青年》，我所叹息的陶金，是 40 年代跟白杨一起主演过《一江春水向东流》、《八千里路云和月》的那个演员，50 年代他身体发胖，形象不如以前，可也在《宋景诗》里演了一个角色。显然，在电视机前的三代人，光是陶金这么一个概念，便已难以沟通，倘非要议论下去，那么，女孩恐怕会一连串地问：白杨是谁？她有什么"主打歌"？"宋景诗"是首什么诗？……也不能说年轻人无知，那天我在楼下小花园，看见几个小女孩在甬路上用粉笔大书"妹力四射"，忙过去告诉她们，"魅力"的"魅"该怎么写。她们笑作一团："真无知！连阿妹都不知道！"我一直无知到好几天以后，才因扫描了报纸的娱乐版而结束"蒙昧"，原来台湾歌星张惠妹，竟红得已使歌迷们一律将"魅力"写作了"妹力"！

　　我们的个体生命，在青春期所经受的文化时尚，虽然会因岁月的筛汰而消磨掉不少，但积淀下来的，会构成我们所属的那一代共有的"文化岩层"，使我们获得同代之间的共同语言，并使我们与上下另代的生命间产生某些并不一定有害，往往还能令彼此都觉得有趣的疏离。

藤 萝 花 饼

也是那个对无论是走红于 40 年代还是 50 年代的陶金一律不清楚的女孩，因为我谈话间用了一个歇后语"剃头挑子———一头热"，而扬起眉毛问："什么是剃头挑子？为什么一头热？"我不得不比比画画地跟她形容，我童年时代在市井中还很流行的，游动的剃头匠所挑的那种挑子，一头是一把供理发者坐的，下半部带若干搁工具的抽屉的椅子，另一头则是一个下半部有热水罐上半部有镜子的脸盆架子……不仅她听了极感兴趣，她那刚近"不惑之年"的父亲也说："其实很好嘛，为什么现在没有了呢？"

一些文化时尚的消亡，和另一些文化时尚的勃兴，可以从社会经济、政治、科技、教育等方面的变化找到明显的原因，可是，也有某些，甚至可以说是很不少的这类现象，难以从以上诸方面找到缘由。如果非要加以解释，那么，笼统地意识到，"人间正道是沧桑"，恐怕是一条铁的定律，那就是，归根结底，人类总要寻求发展，向往改革，祈盼新境，比如文学艺术、经济、政治等方面对其固然有着很大的影响，但有时候它的变革与突破，特别是形式美方面的创新，往往主要是出于年轻一代面对前辈所取得的几接近于完美的成就产生出大苦闷，于是愤而（或写作"奋而"）绕过乃至推开前辈的完美，另辟蹊径，去创造出另一番境界，结果，往往是前辈的创造仍是不朽的经典，而新一代的新创造，经过时间的考验，有的也积淀为传世的经典，像中国宋词对唐诗在句式上的"破坏"，西欧印象派绘画对其古典现实主义和浪漫主义绘画的"颠覆"，都是很说明问题的例证。

对于那些现实中已难寻觅，甚至消失，却在我们生命的记忆里，仍具有魅力的事物，我们偶尔会在独处静默中，或与亲友闲谈中，蓦地升腾出几许惆怅。但我们应有一种健康的心态，那就是，不因这惆怅而减弱我们投入新事物迭出的现实生活的热情，尤其不因这惆怅而阻隔了自己与年轻一代的沟通。在守护着我们心底那些仍氤氲着香气的"逝水"时，我们应仍能健步参与消化尽可能多的"新潮"，与那些经过大众更经过自身审定的好的东西，从电脑因特网到老年迪斯科等等，欣悦地认同。

前些时到一处保留着成片明代民居的村落参观，在一个小卖部里，发现那女老板是个城里来的女青年，她笑嘻嘻地对我说："您买我的东西超过十块钱，我就拉开那布帘给您看！"我立刻买了好几瓶矿泉水。她拉开了那布帘。原来，布帘里面是些她一年多里搜集到的古旧东西。我一眼便看见其中有一副大体完好的剃头挑子，不禁惊呼起来。那女青年称，她以后将把所搜集到的这些东西，在当地开一座民俗博物馆。我祝福她几年后实现那美好的计划。离开那村落时，我心里暖暖的。我意识到，我们每一个人都是民族生存史中的一个小小链环，我们现在所生活的时空里，剃头挑子虽然已经被美发廊美容厅逐出了舞台，但因仍有年轻的生命注意将其作为"前辈足迹"存留，这样，我们一代代的人，不仅在重大的政治、经济等历史记忆上会获得生命力的承传，也将在日常生活和情感的记忆上获得相接续的诗意。环环相连相续，那远方的闪光，似已灿然如霞。

我的自行车

外甥娶了个加拿大老婆,移民加拿大了。这是他的事,只要他高兴就好。临走那天,他从我姐姐家出发,本打算坐公共汽车去地铁站,然后再坐地铁,去民航大巴的起运点,搭那大巴赴机场,可是那天他吃完早点,觉得时间有点紧,怕公共汽车久等不来,误他的事,于是便骑自行车去了地铁站,后来听姐姐说,他没有误机,顺利地飞出了国门。

外甥走那天所骑的自行车,是我的。外甥办妥出国手续后,便把他自己的自行车卖了,但后来又因故推迟了行期,便来找我借自行车,我当然马上让他推去骑,那是一辆旧"飞鸽",是我二十五年前买的。

我在电话里问姐姐,外甥在跟她通越洋电话时,说没说到我那辆自行车?姐姐说他没主动说,是她问了他:你小舅的车,存在地铁站了吗?钥匙可还在你那儿?外甥的回答是:嗨,那么一辆破车!存什么!他到地铁站,随便一撂,就下去乘地铁了……

外甥的加拿大老婆,是香港早几年去的移民,经济上,仅仅是过得去而已,所以外甥赴机场不"打的",而去赶民航大巴,我很理解,也很支持,但是他那样利用我的自行车,并弃之如敝屣,却很伤我的心。

不错,那是一辆旧车,如果拿到委托行去处理,至多给价三十元,甚至根本不收,它的商品价值,已趋于零。但它仍然能骑,经过最新一轮的修整,胎不破,链不松,闸也灵，其使用价值，还远在六十分以上。那是典型的 60 年代产品，二八式，车体很笨重，力气小的人简直提不起来，外形不"流线"，很端庄，黑得憨厚，美学上无创意，但质量很好，骑起来很轻松，它老了以后，不再能跑得飞快，但我自己也老了同样的时日，所以合作起来，还是很如鱼在水般自在。

我去外甥丢车的地铁站找，哪儿还有踪影！不一定是被偷走，大半是当做有碍观瞻的赘物，被什么部门拉走了。那种失落感，真是刺心镂骨。

买那车时，我才二十六岁。我骑着那车去谈恋爱，去同所爱到办事处开结婚证明，后来又频繁地用那车驮回安顿小小窠臼的日用品。记得曾在一个凄清的冬夜，因为无"购炉票"买煤炉，便骑车去很远的南城借一个铁炉，把那铁炉绑在车后，我无法控制重心，生怕不慎将炉子跌破，就下决心推着车子护着炉子回家，迎着朔风，我一直走了四个小时。那四个小时里，我握着车把，就如同握着最诚挚的朋友的双手，车子仿佛有灵性，我们互相鼓励，度过了那一晚的严寒，把温暖，带给了我们那只有十平方米的小窠……我骑着它，去妇产医院，同儿子见了第一面。在苦闷的岁月里，它驮着我，远游颐和园、香山乃至明十三陵……在时代提供了机遇的情况下，我骑它去邮局投出了我的成名作《班主任》，我又是骑着它，去参加了第一次为我举行的作品讨论会……后来我调动了三次工作，搬了三次家，我始终还是骑这辆车，我骑它去国际俱乐部领取了茅盾文学奖，并曾骑它去大使馆参加酒会……我也曾在逛完商场后发现我心爱的旧"飞鸽"不翼而飞，当时马上气短喉急，后来发现是因为我未存车，而被有关人员收走，当我终于与自己的车重逢，听到交出罚款便可取走时，我不仅是如聆大赦，更有一种感激莫名的情怀，自那以后我总是尽量注意存车。我承认，后来有一阵我常坐小汽车，我的"飞鸽"往往被冷落在楼底的存车处里，积满尘土，可是只要可能，我还是把它取出，在擦抹清洗它的过程中获得一种欢悦，并骑上它，哪怕只是在附近兜上一圈……再后来，我赋闲，写作之余，我骑上它，到三环以外所剩不多的野地，采撷大把的野生多头菊……

外甥临行前几天来我家告别，曾笑说：小舅，我在加拿大发了财，一定要报答你！那不会是戏言，我相信他说时确有那样的企愿。但是从他毫无所谓地抛弃我那

辆"飞鸽",可见他已是观念和感情结构都大异于我的一代人,且不说他的观念和
情感还会变化,就是现在,设若他并没飞渡大洋,甚至就住我近旁,那也真怕是"比
邻若天涯"了!

也无所谓原谅不原谅,不原谅又怎样?外甥如此抛弃了我的自行车,竟使我心
里头好多天不自在。那辆破旧的自行车现在何处?还完整吗?如果它有灵,它一定
也在默默地思念我吧!

1994 年 3 月 17 日,绿叶居

法西斯病毒

去年五月，我在美国丹佛附近的某小镇逗留时，忽然有一天电视里报道出校园凶杀案的消息，我看到那些被害学生亲属悲痛欲绝的镜头，心里阵阵发紧。这时我的美国朋友就安慰我说，那是离丹佛很远的俄勒冈州发生的事，他们丹佛这边一贯太平，不必产生不安全感。我在丹佛小住，所感受到的，也确实是田园牧歌式的安谧与恬静。美国西部频发地震，东部北部多有暴雨雪龙卷风，南部则游人多谓有凶险之气；丹佛位于美国中部（略微偏西），白天阳光灿烂，夜晚清凉如水，似乎连气候也比美国其他地方好许多，它与四季如春的中国昆明结为姊妹城市，洵非偶然。

万没想到，今年四月二十日中午（当地时间），丹佛却发生了震惊全球的校园大血案。消息传来，我真有点目瞪口呆。发生血案的利特尔顿市，与我去年所小住的镇子，离得极近。血案的具体地点，是该市科伦拜恩中学。我不由得立刻想到，丹佛地区的若干中学，都有按照交流计划，派去教授中文的中国中学教师，我在丹佛地区停留时，两位这样的同胞，一男一女，就曾到我的居处与我聚谈过。他们因为自己没有汽车，那天也没找到可搭的"顺风车"，竟是步行了两个小时，才辗转找到了我借住的那栋房子。虽然在那边有种种不便之处，但说起他们能"击败"众多的竞争对手，脱颖而出，获得了到美国任教的机会，还是非常自豪，而且对美国的物阜人稀、草绿树茂，尤其是丹佛那夜不闭户、路不拾遗的太平气象，由衷地一唱三叹。当然，他们也说到美国中学的教学方法与中国的决然不同,学生在课堂是可以随随便便,那真是毫无"师道尊严"

可言，师生平等到极点，实行讨论式教学，学生常对老师的讲述进行诘难式反问……据说他们一起赴美分配在纽约的，有的开头实在受不了，以至于气得噎声干哭。他们所在的丹佛地区的中学，则好多了，因为这个地区有教养的中产阶级家庭占绝大多数，学生里还没有故意气老师，特别是气老师中的"外来户"的。

丹佛校园大血案的报道，我们这边的报纸上也持续了很多天。据称，是该校的两名身穿黑色战壕雨衣、头戴黑色面罩的少年杀手，突然冲进食堂和图书馆，狂笑着大开杀戒，不仅用枪，还使用了自制炸弹，最后他们共杀害了十三条生命，导致十九人重伤，在警察赶到将他们包围后，他们在还击后自戕。报道中没有提及非美国籍的或华人血统的伤亡者，我算松了一口气。我那边的国内去的朋友和他们的子女，以及交换到那边中学执教的同胞，也许受了惊，却都安然无事。

这一惊世大血案，目前美国有关部门正在调查中。不仅美国的传媒，就是我们这边的报纸上，也出现了不少就此血案的分析文章，私下的议论也很不少。有的提及这是美国"枪支文化"的必然恶果，有的由此谴责美国"暴力文化"的大肆泛滥，有的更与美国为首的"北约"对南联盟的狂轰乱炸联系起来分析，认为是美国的"强权观"毒害了自己的下一代，那边炸及无辜平民，这边竟"现世现报"。这些分析、议论当然都有一定的道理。

就目前所掌握的材料，可知这两个杀手都是该校准纳粹组织"战壕军用雨衣黑手党"的成员，而且他们作案的那天，恰是希特勒的所谓"冥寿"，我以为，这是值得人们格外惊警、戒惕的。

希特勒的败死，至今已经五十四年了。那些"战壕军用雨衣黑手党"的成员，最大的估计也不过十八岁，是1981年以后才出生的，那时希特勒也已死了三十六年了。这三十六年里，世界上的传媒，包括美国本身的传媒，对于法西斯、希特勒的回顾，大概是绝对地一边倒，都是否定性的吧。当然，也有极少数、极个别的情况发生，例如有的出版商仍抛出希魔的《我的奋斗》卖钱，但覆盖面不大，"战壕军用雨衣黑手党"的成员们也未必读过。可是，就是这样的，80年代后才出世的生命，却崇拜希特勒和法西斯，以法西斯的狂暴方式，滥杀无辜，并似乎还从中获得了极乐。这不能不使我们惊警：法西斯病毒仍在世界上存在，并仍可能爆发出或大或小的瘟疫。

据报道，那两名杀手杀人时，在乱射乱扫中，却也有其明确的针对性，他们特别要挑出两种人来杀，一是黑人和拉丁美洲裔的，即"有色人种"；一是学校运动队的运动员。我以为，这正是"法西斯意识"的罪恶核心。

自认血统高贵、纯洁，视异己的血统为低贱、污浊，甚至把其中的一种或数种，认定为根本不应继续生存、繁衍，加以灭绝性屠杀，是"希特勒思想"、"法西斯意识"的反人类、反人权、反人道的"精髓"，是我们所深恶痛绝的。我们之所以有时候把发生在中国的"文化大革命"中的一些现象，如人为制造"红五类"压迫"黑五类"的惨剧，也谥之为"法西斯专政"，正是因为那种"血统论"的反动性，与希特勒当年把犹太人整体加以灭绝的做法有相近之处。丹佛科伦拜恩的那两个法西斯式杀手仇视黑人和拉美裔人的具体心理活动，不得而知。一位朋友与我讨论这一现象，他说，往更深的层次里分析，除了肤色或民族和宗教等差异，容易成为法西斯分子的歧视口实外，还有人性恶中的一些元素在起作用，比如，从莎士比亚的《威尼斯商人》里就可以看出来，犹太人总体而言，善经商者多，会敛财者多，大概也确有吝啬而缺乏同情心的人物存在，因此，不以善意而以恶意揣测犹太人，便很容易把他们整体视为冷血的怪物，法西斯就是借此煽动日耳曼民族对犹太民族的仇恨的。在美国，有的地区，近二三十年前，基本上是白种欧洲移民的聚居地，很少有有色人种在那里定居，但是，这些地方现在很可能不仅出现了不算太少的肤色不白的新移民，而且这些新移民恰恰由于原来基础太差，因此在学习、工作和生意场上，都更能吃苦，更勇于拼搏，而因此就不断出现"后来居上"的情况，这就会在一些白种人的人性恶里，引出"气不忿"——他们是什么东西？凭什么？这人性恶便是法西斯病毒，恶性发作起来，便会酿成种族屠杀的惨剧。这位朋友甚至认为，前些时发生在印尼的，针对华人的暴力事件，也是法西斯病毒的一种发作。由此他又发挥其思路说，中国人在国外定居，谋求发展，未能成功，沉在底层固然有其悲苦，即使获得成功，也还可能被置于某些原住民或早住民的恶意嫉恨眼光中，时时需提防某些感染了法西斯病毒的人的潜在威胁，宁不悲夫！我对他说，你的思路似乎也太悲观了！而且，拿丹佛地区来说，那两个杀人的白人学生，他们的家族及其同类，其实也是那地方的外来人，那地方本是印第安人的家园啊！种族歧视，真是毫无道理！

我们都知道，希特勒原来是个很卑微的小人物，曾一度想当个画家，他手绘的水彩画，现在世上仍有人收藏。有人说，倘若当年的美术学院录取了希特勒，或竟有人略微赏识一下他的画幅，也毋庸高价，就是低价地收购几幅，使他觉得自己从事绘画还是有希望的，那么，也许，他以后就不至于热心从政，从而人类也就可以避免一场与他个人性格密切相联系的浩劫。类似的逻辑也有人用之于江青，说是倘若当年她在上海电影圈获得了符合她那好胜心的发展，也许她就不至于"愤而投奔延安"，从而到"文化大革命"时，至少郑君理等若干具体的文化人，就不至于因她而惨死。这种思路有没有一点道理呢？我以为，也无妨允许其存在，聊备一说。希特勒人性深处的强烈自卑，在其"功成名就"后异化为极端的"超人心理"，甚至把世上杰出的人物也视若蝼蚁草芥，甚至你越是优秀，我越是加以鄙夷摧残，这是法西斯病毒的另一形态。这回丹佛科伦拜恩中学的那两个杀手，恐怕也正是被这一形态的法西斯病毒感染，所以，他们除了鄙视"有色人种"，还特别仇视自己这个人种里的人见人爱的宠儿——学校运动队的运动员，因为这些人有特长，老师们对他们可能会特别施以某些优待，一般同学们，又特别是一些漂亮的女同学，更可能眼里只有那些运动员而不拿正眼瞟他们一下，所以他们持枪冲进食堂时，就大喊"运动员站出来！"并对运动员浴血扭动惨死的情景极为开心，狂笑不止。中国的"文化大革命"里，有的在专业领域特别拔尖的人物之所以遭到特别残暴的摧残，以致惨死，也是因为法西斯病毒大肆虐，把一些具体的杀手人性恶里最阴暗的东西调动了出来，倒真未必是那场运动既定计划的兑现。

美国丹佛校园惨案虽是一桩美国的刑事案件，但我们从中却可以发现：虽然希特勒和那个时期的法西斯已成为了历史陈迹，但法西斯病毒还在世界上存在，甚至还可能侵入到80年代后才出生的，很年轻的生命中！一切有良知的人们，应当动用各种手段，包括文学艺术手段，检测、鞭挞、扑灭、杜绝法西斯病毒，而且首先应当大声呼吁：人类，警惕啊！

人类与昆虫

一位正攻读硕士学位的年轻人对我说:"你的讲话,起着一种解构的作用!"

他的评价,我听不大明白。怎么会是"一种解构"?我只不过是,道出了埋藏心中很久的一个大疑惑罢了。

今年二月底三月初,我应邀赴新加坡参加了"人与自然——环境文学国际研讨会",除了在研讨会上发言,又参与了新加坡华文报业中心大礼堂的"绿色对话"活动,被认为是"一种解构"的讲话,便是在那个活动中发表的。

关注世界性的环保问题,呼吁人类与自然界的和谐,已成为响彻全球的强音。就拿报纸的副刊来说,以环保为题材的散文、随笔时时出现,或揭露、抨击种种破坏自然生态、污染生存环境的现象,或痛心疾首于物种减少甚至灭绝,或弘扬、抒发对自然生态的悉心保护、对美好的野生动植物的倾心关爱,其中经常出现的一个论点是:应当爱惜所有的生命。新加坡的这次盛会上,"爱惜生命"也是许多与会人士挂在口头,甚至作为论文、发言核心内容的,一个似乎是毋庸置疑的"宇宙公理"。

我却在"绿色对话"的活动里,提出了这样一个问题:爱惜所有的生命?需知,且不讨论植物界的问题,仅动物界来说,最庞大的生命群体,是昆虫。在动物学的分类中,昆虫纲是动物界中最大的节肢动物门中最大的一纲,人类现在已知的约一百万种,占所有已知动物种类的六分之五,其数量及分布状态在陆生动物里占绝对优势,昆虫学家估计还有约四百万种的昆虫尚有待人类去陆续认知!我们在热烈

藤 萝 花 饼

地宣谕珍惜生命、爱护野生动物、保护自然物种的时候，往往所想到的，只是熊猫、老虎、大象、犀牛、秃鹫、仙鹤等美丽的，或在现代社会已基本不构成对人类生存威胁的那些品类，也许有时会旁及于野狼、蟒蛇、鳄鱼、鲨鱼等虽外表凶恶或仍对人类有所妨碍的物种，以示我们人类宽容的胸襟，但我们却往往把地球上几乎是无处不在的，最大的生命群体——昆虫，排除在我们那"热爱"、"珍惜"的命题之外。现在我们开的既然是一个严肃的，以"人与自然"命名的学术性研讨会，那么，我请问在场的诸位：你热爱昆虫吗？人类和昆虫，应当建立怎样的一种关系？

我对与会者诚恳地说，我提出这个问题，不是开玩笑，更不是想无理取闹，这实实在在是个令我困惑很久的，关乎生命伦理的，很重要的，期待着方家给予解答的，不能再忽略不计的问题。

我们人类，就我个人的感受而言，对昆虫，以及其他节肢动物，基本上是厌恶的，像苍蝇、蚊子、跳蚤、体虱、蟑螂……都是恨不能将其彻底灭绝的，我们的不少环保项目，如古代人文景观的保护，其措施里，就有专门针对昆虫，或其他节肢动物，刻意要将它们杀灭的——如对白蚁。如果把问题从生命关爱的前提下引开，不拘泥于动物学上的严格分类，不限于说昆虫，那么，凡是相对于人类来说比较微小的物种，我们人类，往往就都很少珍爱它们，比如，我们喜欢珍珠，参加"人与自然"研讨会的不少女士，就佩戴着珍珠饰品，随我听会的妻子，我也给她买过珍珠项链，但仔细想来，珍珠是贝类为了排除侵入体内的异物，痛苦地分泌汁液包裹那异物，而产生出的"瘤子"，珍珠越大，那贝类的痛苦便一定越深！

我家所在的居民楼，每隔一段时间，便会由居委会发给药物，组织全楼统一行动，杀灭蟑螂和蚂蚁，我曾在厨房里，用放大镜观察过厨桌上的蚂蚁，那几只蚂蚁可能是感觉到大难临头，爬行时犹犹豫豫……一瞬间，我觉得它的形象很可爱，它们也是生命，也想平安生存，终其天年，可是，只因为它们妨碍了我们楼中居民生存的安适性，我们便要心安理得地毒杀它们、用滚水灌入它们进出的穴眼……在人类的实用理性之上，从哲学的高度，生命伦理的高度，我究竟该有怎样的憬悟？

这的确不是钻牛角尖，不是故意向流行的"热爱生命说"恶意挑衅，而且，我再往下说，可能会更令一些人瞠目结舌——其实，细菌，病毒，也是这地球上的生命形态……

我讲这些话时，心里惴惴不安，没想到，说完，却也得到了掌声，并有与会者积极参与讨论，可惜时间有限，未能充分展开。散会后，除了那位硕士研究生说我是对"热爱生命说"起着"解构"作用外，还有一位来自东马来西亚的先生对我说："我虽然一时回答不了你那'人类究竟应该怎样对待昆虫'的问题，但是，我很赞成把关于环保的讨论深化，比如，一些发达的西方国家，动辄对砍伐树木表示深恶痛绝，这当然有一定道理。发展中国家，一些人为了立竿见影地发财，也确有滥砍乱伐的现象，但是，发展中国家在发展过程中，很难一下子靠出卖高科技，靠所谓'知识经济'致富，免不了总得先靠伐木、采矿，出卖原材料，来扩大外贸收入……所以，发展中国家的人士就环保问题发言，恐怕还应该与西方发达国家那些说'便宜话'的人士，自觉地区别开来。有的西方国家他们真是做到了一座森林都不动，却大量地从我们沙捞越采购森林原木，他们在本国可以侈谈'一棵树不砍'，我们呢？我们必须冷静地对待自己民族的现实，只能是反对滥砍乱伐，讲保持生态平衡，而不是一味地唱'把每一把斧头变成一棵树'的高调……您说，是吗？"我听了，颇觉意外。当时，我未置可否。现在我把自己的问题和所引出的那位东马先生的问题，并列于此，求教于大家。

1999 年 4 月 4 日，绿叶居

书中自有茶香来

中国古典小说里,《三国演义》在生活细节的描写上是点到为止,比如刘备三顾茅庐,经历多次误会,又立候多时,方才终于见到"真佛"诸葛亮,二人叙礼毕,分宾主面坐,童子献茶,什么茶? 不再交代,茶具、用水更略而不提。《水浒》则进了一步,对生活场景的描摹,有粗有细,拿写茶来说,就相当细致了。《水浒》中的"王婆贪贿说风情"等情节里,写到王婆的茶肆,那其实应该算是一个冷热饮店,不仅卖茶,也卖别的饮品,如王婆就主动给西门庆推荐过梅汤与和合汤。作者写这些细节,不光是留下了社会生活的斑斓图像,有助于展拓读者阅读时的想象空间,也是揭示人物心理,丰富人物性格的巧妙手段。梅汤,即酸梅汤,应是用酸梅和冰糖熬煮,再添加玫瑰汁桂花蕊等辅料,放凉后,再拌以天然冰碎屑,兑成的夏日上等冷饮。王婆向西门庆推荐梅汤,是看穿了西门庆想勾搭潘金莲的野心,以此来暗示自己可以为其"做媒"。后来西门庆踅来踅去,傍晚又踅进王婆的店来,径去帘底下那座头上坐了,朝着武大门前只是顾望,王婆道:"大官人,吃个和合汤如何? "和合汤应是用百合、红枣、银耳、桂圆等炖煮的甜饮,一般用在婚宴上,作为最后一道菜,象征夫妻"百年和合"。王婆向西门庆推荐和合汤,是进一步向他暗示,自己有帮助他和潘金莲成就"好事"的能力。在《水浒》接下来的文本里,还写到了姜茶、宽煎叶儿茶,以及"点道茶,撒上些白松子、胡桃肉",等等,可谓茶香渐浓。

中国古典小说,彻底摆脱《三国》式的"讲史",以及《水浒》式的"英雄传奇",长篇大套地讲述俗世中芸芸众生的日常生活,描写最常态的衣食住行、七情六欲、生老病死,始作俑者当推《金瓶梅》。《金瓶梅》里有不少露骨的色情描写,不但"少儿不宜",就是对成年人,如果心性不够健康者,恐怕也确会产生出诲淫的负面作用。但《金瓶梅》那生动而细腻地描摹日常生活场景,镶金嵌玉般铺排出令人目不暇接的种种细节,至少作为一个艺术流派的翘楚,是值得我们肯定、赞叹的。《金瓶梅》从《水浒》中"王婆贪贿说风情"前后的情节生发出它的故事,"借树开花",起头的文字不仅是模仿,而且是爽性完全照搬,但在那嫁接的过程中,它也有了若干微妙的变化,比如写王婆点茶,《水浒》是"点道茶,撒上白松子、胡桃肉",《金瓶梅》就直书"胡桃松子泡茶"了。在《金瓶梅》里,不仅写到王婆茶肆的茶,也写到市民家中自饮的茶与待客的茶。比如福仁泡茶,福仁即福建所产的橄榄仁,可以用来泡茶;盐笋芝麻木樨泡茶,盐笋应是盐渍过的笋干,这茶肯定有咸味;梅桂泼卤瓜仁泡茶,有专家指出"梅桂"即玫瑰,这茶大概是甜的;江南风团雀舌牙茶,这是一种产量很小,极名贵的贡品茶,宋朝已值二十两黄金一饼,而且还往往是有价无市,想买也买不到;蜜蜡香茶,把蜜蜂窝压榨后可提炼出蜜蜂蜡,但俗话把根本出不来味道形容成"味同嚼蜡",不知怎么当时有人用蜜蜡沏茶,怪哉!榛松泡茶、木樨青豆泡茶、咸樱桃泡茶、土豆泡茶、芫荽芝麻茶……真是茶香阵阵,袭鼻催津。但是,看到如许多的关于茶的描写后,我们不禁要问:怎么当时(著书人所处的明朝,或前推到书中所托称的宋朝)人们饮茶,除了茶叶外,往往还要往茶盏里搁那么多其他的东西?又为什么,到清朝以后迄今,这种饮茶习惯竟几乎湮灭无存?《金瓶梅》第七十二回,写到潘金莲为了讨好西门庆,"从新用纤手抹盏边水渍,点了一盏浓浓酽酽,芝麻盐笋栗丝瓜仁核桃仁夹春不老海青拿天鹅木樨玫瑰泼卤六安雀舌芽茶,西门庆刚呷了一口,美味香甜,满心欢喜。"这盏茶,除正经茶叶六安雀舌芽茶外,竟一股脑加入了十种辅料!其中一看就懂的有芝麻、盐笋(干)、瓜仁、核桃、木樨(桂花)、玫瑰泼卤(玫瑰浓汁)六种,其余四种,栗丝应是栗子切成的细丝,核桃仁里所夹的"春不老"应是一种剁碎的腌咸菜,"海青"可能是橄榄,"天鹅"可能是银杏即白果,"海青拿天鹅"可能是橄榄肉里嵌着白果肉。这哪里是茶,分明是一盏汤了!

而且酸、甜、苦、辣、咸诸味齐备，固体多于液体，西门庆呷了一口后会觉得美味香甜，大概是"色狼之意不在茶"吧！

《红楼梦》承袭了《金瓶梅》"写日常生活"的艺术传统，但是，它起码在两点上大大地超越了《金瓶梅》，一是文本里浸透了浪漫气息与批判意识，表达了作者的一种人文情怀与社会理想；一是基本上摆脱了色情的描写套路，虽然也写性，却大体上是情色描写（"色情"与"情色"这两个概念的不同，容当另文阐释）。《红楼梦》里写茶的地方也很不少，但往茶汤里配那么多辅料的例子一个也没有了。第三回写林黛玉初到荣国府，饭后丫头捧上茶来，林黛玉也算大宦人家出来的了，颇为纳闷——她家从养生角度考虑，是不兴饭后马上吃茶的啊——到后来才悟出，荣国府饭后那第一道茶是漱口的，盥手毕，那第二道，才是吃的茶。一个关于茶的细节，对展示贵族府第气派和揭示人物心理特征都起到了作用。《红楼梦》第四十一回"栊翠庵茶品梅花雪"，不仅写到茶本身，还写到种种珍奇的茶具，以及烹茶所用的水，"旧年蠲的雨水"已然令人感到"何其讲究乃尔"，谁知那妙玉给林黛玉等人吃体己茶时，更用了从太湖边上的玄墓蟠香寺里梅花上收的雪，是储在一种叫鬼脸青的花瓮里，埋在地下五年后，才开出来的！在这一回关于品茶的描写中，不仅凸现出妙玉偏僻诡奇的性格，也通过成窑五彩小盖钟这个道具，草蛇灰线、绵延千里，为八十回后妙玉的命运结局，埋下伏笔。我最近完成的"红学探佚小说"《妙玉之死》，便由这盏成瓷杯推衍开去，圆己一说。《红楼梦》里还出现过一盏枫露茶，是用香枫嫩叶，入甑蒸之，取其凝露，几次泡泌而成，这碗茶后来竟酿成丫头茜雪无辜被撵，而八十回后，茜雪又在贾宝玉陷狱时，出现在狱神庙中，我在《妙玉之死》中，写到了那一场景。古典名著中的茶香缥缈，既助我们消遣消闲，又为我们提供了多么开阔的想像空间，融注进了多么丰富的思想内涵啊！

书中自有酒香来

　　《三国演义》第二十一回，曹操把刘备邀至亭中，盘置青梅，一樽煮酒，二人对坐，开怀畅饮，"青梅煮酒论英雄"，钩心斗智，互佩互嫉，构成小说中一个著名的情节，后来又被搬上戏曲舞台，近年更有电视连续剧表现，脍炙人口，老少咸知。但那煮酒究竟是怎样的酒？罗贯中写小说，重墨粗线，对生活细节，往往一带而过，"三国"故事里频频喝酒，关于酒的具体说明，第二十一回算是突出的了。《水浒》屡屡写绿林好汉们"大块吃肉，大碗喝酒"，像景阳冈前酒家"三碗不过冈"的劝告，智取生辰纲时所使用的下了蒙汗药的酒，都构成小说中的关键"扣子"，可谓"无酒不成书"，但那些酒究竟是怎样的酒？也语焉不详。电视连续剧《水浒》里，把智取生辰纲时下蒙汗药的酒，表现为无色透明的形态，似乎有如今天的白酒，引出了质疑和批评。因为倘若是蒸馏而成的白酒，哪怕是低度的，也不会让炎热中唇干舌燥的人们觉得可以祛暑解渴，想必那时常见的酒只是粗酿的米酒，酒精度很低，含水量很大。实际上小说所描写的宋代，也还没有蒸馏酒出现，至少，还很稀罕，工艺还不过关，唐朝白居易有句"烧酒初开琥珀光"，到宋时被称为"烧酒"的酒也还是这种颜色，直到元代，无色透明的蒸馏酒才流行开来。宋时武松、李逵他们喝的米酒多半浑浊，需用生绢筛去未净的酒糟，所以进了酒肆，吆喝酒保"筛酒来"，而这样的酒，也适合大碗大碗地喝，倘是今天白酒那样的酒，就毋庸筛了，酒量再大，也不能论碗，而要一杯一杯地浅斟深饮。

藤萝花饼

《红楼梦》被称为"中国古典文化百科全书"，但就写酒而言，所提到的种类，不算很多，突出的有惠泉酒，即用无锡惠山下的"天下第二泉"酿制的米酒；合欢花浸的酒，这是曹雪芹自家祖上就很喜欢喝的酒；"寿怡红群芳开夜宴"鼓捣光的一大坛绍兴酒等。第八回写贾宝玉在薛姨妈那里喝酒，跟李嬷嬷发生冲突，后来喝得烂醉，以至回到自己房里乱发脾气，把茶盅掼到茜雪裙子上，导致茜雪无辜被撵，草蛇灰线，伏延千里，在八十回后，设计得有茜雪到狱神庙探望入监的贾宝玉等情节。但究竟所喝的是什么酒？书上只说是"最上等的好酒"，恐怕也还是米酒、黄酒一类的南方酒。《红楼梦》的故事背景是北京，但贾府来自金陵，因此贾家的生活习惯南北混杂。在饮茶上，比较北方化，不嗜好绿茶，贾母到了拢翠庵，怕妙玉给她绿茶喝，道："我不吃六安茶。"妙玉早掌握她的口味，献上的是老君眉，属于红茶或白茶的体系。在喝酒上，则似乎保持南方习惯较深，比较喜欢黄酒。《红楼梦》写酒的品类不多，写酒具却很细致生动，比如琥珀杯、金银爵、乌银梅花自斟壶、十锦珐琅杯、黄杨根整抠十个大套杯等，还有大量写不同场合的不同饮酒方式的文字，有很浓厚的酒文化气息。

不过，古典小说中写饮酒细节最丰富生动的，还是《金瓶梅》。该书里提到的酒，品类繁多，不仅有南方的黄酒，北方的烧酒，还有西洋传入的葡萄酒，以及药酒。有的酒如今似已罕见，如"羊羔美酒"，据说制法是用米一石，如常浸浆，嫩肥羊肉七斤，麴十四两，杏仁一斤，同煮烂，连汁拌末，入木香一两，同酿，勿犯水，十日熟，酿成的酒极甘滑爽口。再如茉莉酒，制法是用三两白酒，或雪酒色味佳者，不满瓶，上虚二三寸，编竹为"十"字或"井"字，障瓶口，以新摘茉莉花数十朵，线系其蒂，悬竹下令齐，离酒一指许，贴纸封固，旬日香透可成。书中还提到宫廷内造酒，艾酒，河清酒，木樨桂花酒，竹叶青酒，菊花酒，豆酒，雄黄酒，等等。该书成于明朝，托言宋事，因此里面人物的饮食习惯不但与今时大异，与《红楼梦》里的描写也很不一样，比如里面的主人公西门庆，他最喜欢的，也是当时一般人认为最好的食物，是鹅肉，宴席上要"鹅为上，鹅为先"。而最喜欢喝的酒，是金华酒，当时婚丧嫁娶、探亲访友时的馈赠品里，金华酒也是常备之物。这金华酒由谷类酿成，色黄味醇而微甜，但并非现在我们饮用的黄酒，据说这种酒在明嘉靖时期风靡一时，后来不知为什么忽然衰落，以至渐被淘汰，酒也有其"宿命"么？

中国到处出酒，究竟哪里的酒最好？其实只要自己喜欢，不管别人怎么说，那就是好酒。据说战国时期，楚会诸侯，鲁赵皆献酒于楚王。主酒吏求酒于赵，不予，吏怒，乃以赵厚酒易鲁薄者奏之。楚王怒，遂围邯郸。故有"鲁酒薄，而邯郸围"一说。古时待客送礼谦称自己的酒不好，即说"鲁酒"。《金瓶梅》写的是山东故事，却也用了此典。不过由此见得，楚人是很会品酒的，现在湘泉酒的口碑越来越好，是否与当年的这个典故有关呢？

文明轨迹路为先

为迎接 2000 年千禧，许多地方特意搞了些大型的地标，以示喜悦。像英国伦敦就有硕大的"千禧轮"，不知那仅是一个临时性的标志，还是像法国巴黎的艾菲尔铁塔一样，会"时过"而"境"不迁，被保留下来，并成为一处新的名胜。我对这类"地理新秀"的兴趣有限。在这 2000 年来临之际，我们中国似乎没怎么刻意地追求建造这类徒具"象征性"的玩意儿，避免了劳民伤财，很好。

地球上的人文景观，大而言之，站在地面观察，要看建筑物群体所构成的天际轮廓线；从空中鸟瞰，则是道路和桥梁构成的轨迹。我曾多次在飞机上凭窗俯瞰，每当航班快抵达目的地时，会越来越清晰地观察到公路在广袤的田野与成片的建筑物中，构成明显的轨迹，尤其在接近大都会的地方，路径会呈放射性恍若蛛网一般，其立体交叉处，更会有或似蝶翅或如盘花的银色弧线，细看之下，那些直线和弧线中都有各色"甲虫"在梭动——不消说，那是种种不同类型的汽车在各奔东西。我以为，那是人类在地球上所营造出的最美丽的地理景观。

路，真是个了不起的东西。尤其是现代化的公路，它的沟通能力真是太强了。我曾在美国乘"灰狗"（一种长途汽车）旅行，那车窗外起初是红尘万丈，一个眯盹醒来，窗外竟已是茂密森林；再一个眯盹醒来，窗外却是一派只有沙砾与稀疏灌木丛的荒凉；瞪大眼睛观望外面，渐渐地，树多起来，草茂起来，小镇在望，风力发动机仿佛巨大的儿童玩具……加油站到了，彩旗飘扬，一股快餐店的热奶酪气味袭进窗内……稍事休息后，继续旅行，送别晚霞，倏忽又有万丈红尘扑面而来，一个新的城市到了！美国因为高速公路四通八达，不仅长途汽车旅行十分快捷方便，自己开着一辆车，也能极轻松地周游全国；他们还时兴在假期租一辆"宅车"，去自己愿意去的地方暂住一时，那种大型汽车里面的空间十分合理地切割为小餐厅、卧室、卫生间，到了目的地，可以在指定的停车场把车上的上下水管道、煤气管道以及电缆与地面预置的管线接口接驳妥帖，吃喝拉撒睡带洗澡、看电视打电话，车里全解决了；这样旅游，既省钱，又有趣；也有某些美国人干脆就买辆这样的车，"处处无家处处家"，过起他们的日常生活来。我们中国的高速公路还比较少，但改革开放以后，公路国道的建设进展很大，长途汽车业无论在线路、车辆、服务上也有了很大的提高，从空中鸟瞰我国大地，那银色公路的轨迹也颇动人心魄。当然，我们也不一定完全去像美国那样，一味地修造高速公路，而令铁路业萎缩起来——我也曾在美国从旧金山乘火车去丹佛，那始发站之"门前冷落车马稀"，以及上车后一整节车厢里竟只有我和爱人两位乘客等情景，都令我永远难忘——美国毕竟支配着地球上最大份额的石油能源，个人拥有汽车的数量也是我们很难与之"水流平"的，我想，我们的铁路还应大大发展，过去，我们的铁路地理景观主要是"沉沉一线穿南北"，现在那鸟瞰效应花哨多了，但还不够丰富畅达，还要努力铺敷才是。

　　在二十一世纪里，我希望我们国家更加文明，而从经济地理这个角度而言，我以为文明轨迹路为先，像伦敦"千禧轮"那样的奢侈性地标我们不必与之"竞美"，可是在公路、铁路的建造上却务必加大力度速度；祝愿我国的地图工作者在新世纪里不断地出现"欢乐的烦恼"——哎，又得在新版地图上增添新的铁路和公路了，忙不胜忙啊！

狂放与宁静

在美国访问时，赶上万圣节是一桩极开眼界的事。万圣节的来由，需追溯到很久远的，爱尔兰和英国的凯尔特人某种风俗，后来成为基督教纪念一切有名和无名圣徒的节日，定在 11 月 1 日。不过，现在美国人过万圣节，其最大的乐趣是在 10 月 31 日，即万圣节前夜。这一夜可真不得了。我在旧金山赶上了这个热闹，拍下了若干照片。这一夜美国人可以说是无论男女老少，个个狂放不羁、装神弄鬼，其形态作为，令我这个东方人目瞪口呆。他们在万圣节时兴用大大小小的南瓜，剜出一些窟窿象征眼睛鼻子嘴巴，摆在门前屋后，这些"南瓜鬼"的模样倒多半是颟顸有余狰狞不足，可是他们自己在那一晚狂欢中的装扮，有的可就真是触目惊心了。万圣节前夜，各种公共场所，大都开办化装舞会，当中穿插种种节目，人们可以化装成任何自己选择的模样，入内嬉戏。就我所拍摄的照片，你就可以看到，他们有的化装成古典历史人物，有的化装成外星来客，不过出现得最多的还是形形色色的"鬼怪"。许多人装鬼，还不过是扮成骷髅罢了，有一位却把自己扮成刚被砍了头，砍下的头由他自己捧在手中（其实他的头藏在了"断颈"里，从你不易发现的窟窿里，他的双眼还能正常外窥）；站在他旁边的一位却让自己的立体头变成了平面的"杂志头"——这是否有讥讽传媒使人丧失独立思考能力的意思？还有一幅照片，里头那些聚在酒巴作乐的酒客里，有位女士，她脖子上围着什么？请细看——那是一条五彩斑斓的大蟒蛇！是活的吗？我当场目击，可以作证，确是一条活蟒！目睹身受了美国人在万圣节的恣肆狂放，我的感觉是，他们过这个节，其实早已背离了纪念圣徒的本旨，完全成了另一回事儿；怎么一回事儿？因为一般的美国人，工作中和生活中的精神压力都很大，潜意识里淤积了很多的苦闷焦虑，这个"鬼节"给了他们一个尽情尽兴释放的机会，经过这样一番"合法胡闹"的宣泄，过完节，他们回到正常的工作与生活中，情绪可以好些，人际关系的紧张也可以缓解些。万圣节前夜对于美国儿童来说，似乎比过儿童节还要欢欣鼓舞，因为在这个夜晚，他们享有特权——可以挨家挨户讨糖果零食，如果敲开门后，那主人对他们不恭，或竟不给零食，他们便可以恶作剧一番，比如往那一家门上或停在外面的汽车上涂油漆，乃至抛石块砸玻璃窗什么的；有时明明给了孩子们糖果甜饼，第二天天亮后还是发现孩子们恶作剧的痕迹，大人也就只是一笑了之——人们约定俗成，让儿童们在那一晚可以当一回"坏孩子"而不受责罚；这其实大大地加强了儿童们在平日当好孩子的自觉性。

美国人也有追求宁静淳朴的另一面。在美国目睹了万圣节后，我又参加了一次美国农场里的婚礼。有的中国人以为美国人个个都崇尚"性解放"，对婚姻很随便，其实，美国人的情爱观与性爱观虽然确与我们中国人有区别，但他们当中的大多数人，对婚姻还是视为非常严肃、非常神圣的事情的。而且，也有不少的美国人，不喜欢都市里那种喧嚣骚动的生活，而刻意寻求一种宁静恬淡的乡野生活。请我去参加他们婚礼的这对伉俪，就是这种喜爱宁静安谧氛围的人士。他们在牧师引领下走出屋外，面对清雅的乡野，共缔百年之好，是非常真诚的；婚宴在田野的干草垛旁举行，别有情趣。离开新婚夫妇的农场后，在海边，我迎着习习海风留影，心中甚感不虚此行。

了解美国也好，了解其他任何国家和地区的社会风情也好，都需要作"面面观"。期盼我和读者诸君，都有更多走出国门"面面观"的机会。

让什么流进血管?

我曾写过一篇题目叫做《嘉陵江流进血管》的小说。有朋友赞我那题目取得好。是的,我们是黄河、长江,以及相关水域哺育出的生灵,我们血管里流动着母亲河纯正的乳汁。

但是,那生我养我的母亲河,这些年来却频频传来被亵渎的消息。那些恶性破坏的事例,如两岸林木的滥砍滥伐,肆意向其中倾泻工业废水与城镇排泄物,对河中鱼类与河滨鸟类的狂捕虐杀……就不去说它了,因为绝大多数人都已懂得,那是犯罪行为。现在要拎出来特别加以剖析的,是类似这样的一些行为:航船上的厕所,仍然不设靠岸后再加以处理的粪尿箱,任由排泄物直落河水之中;负责船上清洁的工人,依然心安理得地把船舱里甲板上的垃圾,归拢后一律扫进江里……在不少人的意识里,这并不是什么问题,至少不是什么了不得的问题,浩荡的江水,溶溶漾漾的波浪,"消化"掉一些我们人类的弃物,不但具有那样的能力,似乎也应该承担那样的义务。记得有一回,是在一处风景区游览,招待我们一行的,是该地区旅游管理局的负责人,他在竹筏上兴致勃勃地向我们介绍那条溪流的水域如何清澈秀丽,望下去,几尺深的溪底上卵石粒粒可数,小鱼和小虾的身子也都莹洁透明,我们正欣赏赞叹间,忽然,他把刚抽完香烟的烟蒂,顺手抛入溪中,那烟蒂落在溪底依然显现出十足的烟蒂模样,虽然很小,却非常扎眼,仿佛一粒耗子屎落进了香米粥中……那位旅游管理局的负责人丝毫不以为他的抛烟蒂是一种不良行为,他还喋喋不休地跟我们讲述他们局里拟定的保护那溪水如何不受污染的计划呢。

　　具体如何保护我们的水域不受污染，如何合理使用，那是环保部门及相关部门要花大力气去做的事，这里不拟详论。我想强调的是，我们，每一个大地上的居民，首先要从意识上，提升对江湖河溪，以及一切水域的珍惜程度。我们对自己血管里流动的血液，现在是越来越重视其是否纯正了，血脂高了，血小板比例失调了，血色素指标低了，白血球指标高了……哪一种情况出现都会令我们如临大敌，必欲尽快使其恢复正常而后快。我们实在也应该意识到，我们所生存的大地，便仿佛我们生命的躯体，而江湖河溪，恰似我们生命的血脉，我们要像对待自己血管里流动的血液那样，来对待我们的母亲河，以及所有相关的大小水域，不仅那些恶意的污染、败坏行为是犯罪，就是那些"无意"的玷污、"小小不言"的亵渎，也都是有害的、可耻的。

　　细心的读者会注意到，我在上面强调要像珍惜自己血管里的血液一样珍惜水域时，几次使用了"江湖河溪"的提法，而没有使用"江湖河海"的惯常用法。那是因为，海洋的环保问题固然也极为重要，但我们生存环境里首当其冲的，是淡水的供应和使用问题。有一次在香港，与当地朋友一起流连在九龙半岛的尖沙咀，隔着维多利亚海峡，欣赏对岸香港本岛密集的建筑群，我指着海峡中连绵不断的波涛，无意中说了句："啊呀，你们这儿好多的水啊！"当时心里是不禁想到自己定居的北京城，毕竟没有那么辽阔的水景；谁知香港朋友马上正色道："我们这里满眼是水，可净是些不能喝的海水！"接着他详细地告诉我，香港的饮用水，几乎全靠广东那边输送过来，因此香港人对自己地域里哪怕是一条小小的淡水河，也有着特殊的珍惜情怀。香港同胞的这种情怀，反过来触动了我的情思，是啊，难道非得等到我们内地的江湖河溪，也都流动着不能喝的苦涩之水时，我们才会懂得珍惜么？而那时，靠谁来供应我们可饮用的洁净水呢？

　　在地球的不同区域，已响彻着一个共同的声音，就是保护与我们人类生存休戚相关的河流；而许多民族，在这方面已取得了可资我们借鉴的经验。比如，航行在河流中的大小船只，都设有类似飞机舱里那样的不外泄的卫生间；船上的垃圾绝对不能抛掷于河流中；即使是一个烟蒂一块糖纸，若直接抛进水域，不仅会遭到谴责甚至判罚，自己心理上也会滋生出耻感；等等。

对待江湖河溪，我们必须像对待自己的血管一样，时时叩问：让什么流进去？难道能容忍哪怕是一丁点的污秽杂质吗？

绿阴深处吟诗亭

公园里有很多的亭。湖畔的琉璃瓦攒尖顶大亭子里，几乎每天上午都有老年歌友在那里引吭高歌；月季园里的扇面亭，则每逢周三、周六必有喜好昆曲京剧的人们在那里吹拉弹唱；枫树林边的西洋亭，每到傍晚会有舞迷自带录音机，放送出百听不厌的圆舞曲，然后一对对忘年的人们随着旋律翩然回旋；荷塘边嵌在回廊里的八角亭，总有许多鸟迷棋迷聚在那里，或将各自鸟笼挂在亭廊檐下，交相欣赏，或在廊里亭外摆开棋枰，对阵围观……当然，这些亭里亭外的景象，虽都喜人却并不稀奇。

在公园深处，在一座翠绿的小山坡上，几株高树掩映着一座茅草顶、竹结构的小圆亭，每逢周六和周日下午，从那里，会传出齐诵古诗的声音。所吟诵的几乎都是清丽温馨、简洁易懂的绝句："泉眼无声惜细流，树阴照水爱晴柔。小荷才露尖尖角，早有蜻蜓立上头。""涧水无声绕竹流，竹西花草弄春柔。茅檐相对坐终日，一鸟不鸣山更幽。""蓬头稚子学垂纶，侧坐莓苔草映身。路人借问遥招手，怕得鱼惊不应人。"……

常有感到意外的人，循那吟诗声，顺着曲折的小径，漫步到那坡顶，于是他会看到，吟诗的人数虽然不多，也就五六个，至多八九个，但居然老少三辈皆有，最小的，甚至还是学龄前的模样；他们或坐或倚，神态怡然，无论走去旁观的人是指点嗤笑，还是默然聆听，他们都管自吟诗，倘若有人被其感召，参与进去，随声吟诵，他们当中或许会有人对之报以微笑，却很少与之对话；有时想参与的或不想参与的接近他们，想问他们点什么，他们多半是笑而不答，仍是从容不迫地，在一首吟完后，略作停顿，便另吟一首；于是那些古人笔下的流金佳句，又悦耳抚心地响起："迟日江山丽，春风花草香。泥融飞燕子，沙暖睡鸳鸯。""不向东山久，蔷薇几度花。白云还自散，明月落谁家。""月到天心处，风来水面时。一般清意外，料得少人知。"……

刚听到他们吟诵的人，一时只能听出个别字句，并不一定能听懂整首诗的内容，但他们那字正腔圆、基本齐整的吟诵，总能把那古诗的平仄韵律极其优美地，如同清泉濯心般地，注入敏感者的灵魂，使其不禁会朝他们身边靠拢，以便能更准确地了解那些诗句的含义。在接近了他们，并仔细观察后，便会发现，有一位面目清癯、精神矍铄的老人，是领吟者；他们所吟的诗，有的，可能是以前已经背熟的；而新出台的诗，是竖写在宣纸上，大概五六首，每页纸上一首，那书法是瘦金体，每个字也都面目清癯而精神矍铄；吟诗时，那书有诗句的宣纸，便用吸盘钩子，暂时挂定在亭柱上，对诗句不大熟悉的人，吟时便望着那书好的诗，大家都吟熟了，再翻过一页，吟下一首新诗；那抄诗、领吟的老人，似乎也并不对诗加以多少讲解发挥，而合诵的人们，特别是学生、孩童，他们往往仅是牙牙学舌，有的肯定并不十分清楚所跟吟的究竟何意，但他们都显然是沉浸在了一种朦胧的美感——甚至可以说是快感——之中；仔细听他们所吟诵的诗，特别是看清那老人用瘦金体抄在宣纸上的诗句后，凡多少有点文化的人，都会想：啊，咱们的祖宗留下的这些句子，确实再用不着什么讲解，那平易而又深邃的诗意，正如黄河长江之水，越过悠悠岁月，直流淌到我们一代又一代的血管里……

一个时常陷于焦虑的中年男子，难得地跑到公园里转悠，歌友们的歌声，舞友们的身影，戏迷们的腔调，鸟友棋友们的姿态，竟然都令他更加忧郁、烦躁，但是，当他极其偶然地走过那座小山坡，和风从绿阴深处的山坡圆亭把合诵的古诗传送到他耳蜗中："长安市上醉春风，乱插菊花满帽红。看尽人间兴废事，不曾富贵不曾穷。""古木阴中系短蓬，杖藜扶我过桥东。沾衣欲湿杏花雨，吹面不寒杨柳风。"……他顺着小径，弯到坡顶，见到那一群可爱的吟诗人，并且看清了用瘦金体抄出的诗句，那情景，那氛围，特别是那些诗句的魅力，令他怦然心动，他倚着一株金合欢，觉得有一柄无形的拂尘，拂去了他心上的积灰，在夕阳斜照中，呈现在他眼前的树木花草都更加明艳清纯……他没有参加吟诵，他缓缓地下了山坡，徐徐地出了公园，他知道那些优美的古诗并不能解决他心中的那些引出焦虑的问题，然而，他抑制不住一种忽然勃发的冲动，他没有回家，而是赶往了夜里九点钟才关门的一家大书店，在那里，买下了一册他过去有过，却不曾珍惜，早已不知扔到何处，并且此前从未怀念过的《唐诗三百首》……

　　一位因婚姻破裂，特别是在孩子问题上心疼如煎的女士，是在情绪最低落，甚至有轻生念头涌冒心头时，也是极其偶然地，被吸引到那绿阴深处的吟诗亭的。她在极度苦闷中，喟叹人间温情的匮乏，怨艾社会人情的浇漓，可是，忽然有那样一些温馨柔美的诗句飘进她的耳朵，落入她的心窠："春有百花秋有月，夏有凉风冬有雪；若无闲事挂心头，便是人间好时节。""金陵津渡小山楼，一宿行人自可愁，潮落夜江斜月里，两三星火是瓜州。""律回岁晚冰霜少，春到人间草木知；便觉眼前生意满，东风吹水绿参差。"……不是因为那些诗句的具体含义，而是因为那吟诵中所传达出的，一种宝贵的人间情怀：对大自然的亲和，对他人的尊重关爱，对自我的肯定鼓励，对美好事物的眷念不舍……她走进了亭子，挨着一位怀里揽着稚子的女士，在亭栏上坐了下来，这时吟诗者们正吟出一首新展示出的七绝，那挂出的宣纸上写明："独上江楼思悄然，月光如水水如天；同来玩月人何在？风景依稀似去年！"她随着吟诵，那最后一句尚未吟完，泪水便一下子涌出了她的眼眶，她没有去掏手帕，这时，旁边的同代人非常自然地，腾出一只原是抚弄爱子的手，轻轻地，握住了她的手，她感到有一种莫可名状的电流，倏地令她的灵魂一擞，她便以紧紧地回握，传递出发自心底的感激……她们并没有马上对话，因为那位领诵的老人，撤开当日新拿来的诗帖，又引领着大家温习一些久已融入魂魄的千古佳句："人闲桂花落，夜静春山空；月出惊山鸟，时鸣春涧中。""山中何所有？岭上多白云；只可自怡悦，不堪把持君。"……

　　绿阴深处的吟诗亭，那吟诗的情景，以及所包孕的许多故事，渐渐地，本身也成为了一首诗……

人在风中

　　一位沾亲带故的妙龄少女，飘然而至，来拜访我。我想起她的祖父，当年待我极好，却已去世八九年了，心中不禁泛起阵阵追思与惆怅。和她交谈中，我注意到她装扮十分时髦，发型是"男孩不哭"式，短而乱；上衫是"阿妹心情"式，紧而露脐；特别令我感到触目惊心的，是她脚上所穿的"姐妹贝贝"式松糕鞋。她来，是为了征集纪念祖父的文章，以便收进就要出版的她祖父的一种文集里，作为附录。她的谈吐，倒颇得体。但跟她谈话时，总不能不望着她，就算不去推敲她的服装，她那涂着淡蓝眼影、灰晶唇膏的面容，也使我越来越感到别扭。事情谈得差不多了，她随便问到我的健康，我忍不住借题发挥说："生理上没大问题，心理上问题多多。也许是我老了吧，比如说，像你这样的打扮，是为了俏，还是为了'酷'？总欣赏不来。我也知道，这是一种时尚。可你为什么就非得让时尚裹挟着走呢？"

　　少女听了我的批评，依然微笑着，客气地说："时尚是风。无论迎风还是逆风，人总免不了在风中生活。"少女告辞而去，剩下我独自倚在沙发上出神。本想"三娘教子"，没想到却成了"子教三娘"。

　　前些天，也是一位沾亲带故的妙龄少女，飘然而至，来拜访我。她的装束打扮，倒颇清纯。但她说起最近生发出的一些想法，比如想尝试性解放，乃至毒品，以便"丰富人生体验"，跻身"新新人类"，等等；我便竭诚地给她提出了几条忠告，包括要珍惜自己童贞、无论如何不能去"尝尝"哪怕是所谓最"轻微"的如大麻那样的毒品……

都是我认定的在世为人的基本道德与行为底线。她后来给我来电话，说感谢我对她的爱护。

妙龄少女很多，即使同是城市白领型的，看来差异也很大。那看去清纯的，却正处在可能失纯的边缘；那望去扮"酷"的，倒心里透亮，不但并不需要我的忠告，反过来还给我以哲理启示。

几天后整理衣橱，忽然在最底下，发现了几条旧裤子。一条毛蓝布的裤子，是四十年前我最心爱的，那种蓝颜色与那种质地的裤子现在已经绝迹；它的裤腿中前部已经磨得灰白，腰围也绝对不能容下当下的我，可是我为什么一直没有遗弃它？它使我回想起羞涩的初恋，同时，它也见证着我生命在那一阶段里所沐浴过的世俗之风。一条还是八成新的军绿裤，腰围很肥，并不符合三十年前我那还很苗条的身材；我回想起，那是我费了九牛二虎之力，才讨到手的；那时"国防绿"的军帽、军服、军裤乃至军用水壶，都强劲风行，我怎能置身于那审美潮流之外？还有两条喇叭口裤，是二十年前，在一种昂奋的心情里置备的；那时我已经三十八岁，却沉浸在"青年作家"的美谥里，记得还曾穿着裤口喇叭敞开度极为夸张的那一条，大摇大摆地去拜访过那位提携我的前辈，也就是如今穿松糕鞋来我家，征集我对他的感念的那位妙龄女郎的祖父；仔细回忆时，那前辈望着我的喇叭裤腿的眼神，凸现着诧异与不快，重新浮现在了我的眼前，只是，当时他大概忍住了涌到嘴边的批评，没有就此吱声。

人在风中。风来不可抗拒，有时也毋庸抗拒。风有成因。风既起，风便有风的道理。有时也无所谓道理。风就是风，它来了，也就预示着它将去。凝固的东西就不是风。风总是多变的。风既看得见，也看不见。预报要来的风，可能总也没来。没预料到的风，却会突然降临。遥远的地球那边一只蝴蝶翅膀的微颤，可能在我们这里刮起一阵劲风。费很大力气扇起的风，却可能只有相当于蝴蝶翅膀一颤的效应。风是单纯的、轻飘的，却又是诡谲的、沉重的。人有时应该顺风而行，有时应该逆风而抗。像穿着打扮，饮食习惯，兴趣爱好，在这些俗世生活的一般范畴里，顺风追风，不但无可责备，甚或还有助于提升生活情趣，对年轻的生命来说，更可能是多余精力的良性宣泄。有的风，属于刚升起的太阳；有的风，专与夕阳做伴。好风，给人生带来活力。恶风，

藤 萝 花 饼

给人生带来灾难。像我这样经风多多的人，对妙龄人提出些警惕恶风的忠告，是一种关爱，也算是一种责任吧。但不能有那样的盲目自信，即认定自己的眼光判断总是对的。有的风，其实无所谓好或恶，只不过是一阵风，让它吹过去就是了。于是又想起了我衣柜底层的喇叭口裤，我后来为什么再不穿它？接着又想起了那老前辈的眼光，以及他的终于并没有为喇叭裤吱声。无论前辈，还是妙龄青年，他们对风的态度，都有值得我一再深思体味的地方。

引风入诗

　　一位服装设计师告诉我，他的设计中有一样隐形的因素，那便是风；不仅是自然的风，也有人造的气流；不仅有强气流，也有弱气流；他设计的服装是诗篇，而风和气流便是韵脚。

　　我立即想起在日本旅行时看到的鲤帜，那些悬挂在高竿上的绸制鲤鱼，风从它们张开的嘴中穿过，鼓起了中空的鱼腹，再从尾部的孔中泄出，这就使得原本不过是瘪垂的一个绸袋，顿时生动起来；那风过贯体的鲤帜因风的方向与强弱的变化，头尾摇曳多姿，腹部更波动出活泼的韵律，岂止如画，彻底是诗！

　　人体上的服装，大体而言，完全可飘动的，与完全不可飘动的，这两类都较少，大多数是既有可飘动部分，更有不可飘动部分。不可飘动部分多在颈、腰处，可飘动部分多在亲近四肢的衣袖、裙裾处。为使飘动部分的功能突现，在面料选择上当然多取轻薄剔透者。但不少的服装设计师，对衣裳的飘动构想还只停留在"讲故事"的层次上，远未进入吟诗的境界。我曾看过两次同一设计师的作品展示，一次是在室内的 T 形台上，给我的感觉，是静态美过剩，而飘逸灵动美奇缺；另一次是在露天的 T 形台上，完全一样的作品，在自然风的强劲吹动下，却是一派袖裾乱掀乱裹的"多动"效应。出现这种情况，模特儿的责任很少，主要还是因为设计者在设计时没有把自然风和模特儿猫步扭动的人造气流考虑在内，因此，其设计成果在平面图上也许属于上佳，到真的穿在人体上后，便因不善引风而缺乏诗韵了！

　　记得在云南大理，看到当地白族男女的传统服装，眼睛一亮。除了是因为其造型、色彩独特灿丽，也是因为，在那号称"风城"的自然风光中，他们服装中该稳定的部分绝不迎风乱舞，而刻意逗引风来嬉戏的部分，却时时都在不息的气流中优美律动，令人观之恍若有活泼的音符在心头跳跃，不禁陶醉。像这种民间服装设计的巧思妙着，是当代服装设计师灵感的重要资源，应注意采撷汲用。

　　一位女士要出席一个高尚的酒会，她特地选用了一件腰部缀有流苏的夜礼服，那是因为酒会自始自终都将在有人造气候的密封空间中举行，不可能有露天自然风来营造出华裳的飘逸感，故只能借肢体移动时的人造小气流来使腰部的流苏摆动生辉。另一次，也是去一个高尚酒会，她却又特地选用了一套紧腰紧袖的夜礼服，不想让那两个部位有任何因风而动的效果，那是因为酒会的高潮将移至露天花园，并有自助烧烤的节目；不过，她那夜礼服却有后翘的超薄裙裾，并在颈上围了一条尾梢居后的纱巾，这样，当她位于烧烤架前时，她的前部服饰具有稳定简洁的特色，而她的后部裙裾与纱巾尾梢却会在夜风中曳动飘扬，而氤氲出丝丝仙气。引风入衣生诗意，这才算得是真正的高品味啊！

清理猫毛

有朋友见我身体健壮,问我有什么健身之道,我说倒有一种较为特别的健身手段,叫清理猫毛。他笑道:知道你家养了三只大猫,活泼有趣,很能调节情绪、化解焦虑,算得是养生妙法,但这等于吞服"心理维生素",还不能说成是一种体育锻炼式的健身法吧? 我告诉他,养宠物不仅是吞服"心理维生素",其中也确实包含着体育锻炼的因素,如我每天起床后必有的功课——清理猫毛——便是绝好的"健身操"。

我家的三只大猫,每日晚饭后必要在单元里追跑逗闹一番,使我家充满了欢腾奇趣,但它们也因此必在各处留下若干猫毛,收拾这些猫毛,使用吸尘器是不中用的,尤其是粘附在沙发和地毯上的猫毛,只能蹲下身来,心平气和地逐一将它们——用手指拈起。久而久之,我这清理猫毛在程序上、线路上、蹲下站起与弯腰直腰的节奏上、右手拈毛的指法上、左手敛毛的握法上,都形成了套路。妻子从旁看来,说我像演京剧;儿子从旁看来,说我像跳现代舞;我的自我感觉呢,则越来越觉得是做健身操。

记得我三十来岁的时候,蹲下后再站起来,必然会短暂地眼发黑头发晕,那并非病态,应算是正常的生理反应;可是现在我五十多岁了,蹲下站起,习以为常,眼压不变,头血不素,说明我的"清理猫毛操",对心血器官起到了很好的作用——其"应变能力"大大地提升了! 再,拈猫毛敛猫毛的指掌动作,近似弹钢琴,类似绣枕巾,更像赶海拾贝,尤像坡上采茶,其间指掌的动作通心入脉,赛过搓揉健身球,胜似使用按摩器。每天清理猫毛半小时至一小时，真是身心俱畅，其乐融融。当我坐到电脑前敲打新的文章时，精力充沛、气定神闲，其中该感谢的因素中，也有那些给了我清理机会的根根猫毛！

　　朋友听我的一番表白，笑问：我家不养猫，你这健身操我可怎么学得来？我说，你还是可以从中获得启发嘛，比如说，常常蹲下站起、弯腰直腰，以舒筋骨、活血脉；常常使指掌处于精微灵活的功能性操作中，以活心健脑（因为"十指连心"，而且指掌通脑）……我认为，购买使用健身器材固然是个好主意，但大家交流从日常生活中培养出来的健身操法，更经济也更有趣，不是吗？

淑女抽烟
——一种肢体语言

虽说禁烟之声从西方到东方似有越来越强劲之势,而且据说全球"烟民"的总数也确在逐步下降,但作为所谓文化界的一分子,特别是忝列于所谓作家的行列,似乎有一种大众赋予的抽烟特权,甚至于,当有的读者得知我从来不抽烟时,会惊讶得耸肩咋舌:"怎么?你写作时不抽烟么?"那望着我的眼神,大有怀疑我那些发表出的东西究竟真是我自己写的,还是另有一位隐蔽的,不断从抽烟中获得灵感的"枪手",在我背后代劳。大家都知道,云南有一本大开本的很厚的杂志,叫《大家》,它每期的封面上都刊登出一幅诺贝尔文学奖得主的大头像,而且明确宣布,它的宗旨,便是要将中国当代作家推往斯德哥尔摩"蟾宫折桂",为此,他们自己先设一个"大家文学奖",每年一次,在北京人民大会堂颁奖,那热情实在令人感动!他们做这样的大事,需有企业赞助,而迄今为止,独家赞助他们的,是一家国营的生产香烟的企业,你看香烟的力量有多么大,而且和中国文学联系得有多么紧!但竟有人对此颇有微词——我去年在美国某大学,见到一位褐发碧眼的汉学家,他对《大家》杂志发表的若干作品是很赞赏的,却对我议论道:"想获得诺贝尔文学奖,怎么能去接受烟草商的金钱呢?评定诺贝尔文学奖的瑞典文学院一直坚持'不接受官方推荐'的游戏规则,你总在国家议会礼堂发奖,以此往瑞典推中国作家,这合适吗?"我只能告诉他,中国有中国的国情,不是他一下子能理解和把握的。

记得那回该汉学家跟我发上述议论时，旁边有位从中国去那里攻读博士学位的女士，一直默不做声，只是坐在扶手椅上，右手拈着一支细长的、散发出薄荷味的香烟，淡淡地微笑着，时不时地，把那支烟凑拢唇边，似轻实重地嘬上一口，然后，又徐徐吐出些摇摇摆摆飞升去的烟圈；看得出，她双耳收听着我们的问答，心中也在作出自己的判断，可是，她却只以优雅地抽烟的肢体语言，参与着我们的争论；试问读者：谁能猜出她的意见，是偏向于那位洋教授，还是偏向于我？

好，我们不去纠缠那个该怎样把中国作家推到斯德哥尔摩领奖台的，似乎有些个沉重的问题，我现在想说的是，对于类似上述的那种淑女——我指的是成熟的职业女性，尤其是文化界的女性，包括所谓"白领丽人"一族，这可能与传统"淑女"的概念不甚相符，算是一种"借用"吧——她们的亲近香烟，不仅抱着宽容的态度，而且，甚至还挺欣赏，我觉得，她们的抽烟，往往构成一种独特的肢体语言，在有意无意地传递着某些微妙的意蕴，从旁观察她们，使我有一种赏画、猜谜的愉悦感。我的社会经验，使我可以归纳出这样的心得：男人抽烟，似乎没什么深层的东西好体会、好剖析，他抽烟，就是为了提神，或者只不过是一种习惯，再不就是为了在心里紧张时求得镇定，或在烦躁苦闷时聊以消磨时间；我对男士在我身边抽烟，总难抑制住自己的反感，常常会大声地对他说："嘿，离我远点！我可不想被动吸烟闹出肺癌！"可是，对身边抽烟的女士，我不仅会同她言谈极欢，就是她默默无言时，我也会在瞥视中，偷偷地，或简直是"明目张胆"地，去试着破译她那肢体语言的含义，而且很为她的那副似静微动的模样儿，或心生赞叹，或代为惆怅。

在一个内容健康、格调"雅皮"的"派对"中，与一位先问你一声"我可以抽烟吗？"得到你首肯后，右手拈一支细长的"女士烟"，左手扶住右手的淑女，站在窗边的大叶绿萝边，娓娓地聊上一阵，那真是件有兴味的事。写到这儿，忽来预感——也许，国人翘首以盼的诺贝尔文学奖，将会在最近的将来，颁发给一位抽烟的中国女作家！

"关起门来作皇帝"

老朋友搬进干休所了。我知道,他们那个大院里,也住着某些跟他有"过节"的人。他从新居打来电话,我直率地对他说:"要是能离那几位合不来的家伙远点就好了!"他在电话里笑着说:"天下没有十全十美的事儿! 这里住房和配套服务设施都不错,我关起门来作皇帝……"

朋友所说的"关起门来作皇帝",当然只是一种幽默。这绝不意味着他有"皇权思想",或打算在家里跟家人摆"皇帝架子",作威作福。他想表达的,只是对在自己家里可以悠哉游哉地安度晚年的那份欣悦之情。

家是一个私密空间。关起门来,划出了一个与社会其他人员和群体相对独立的活动天地。倘若所住的是自己买下的房产,那么,从墙体本身,到里面的物质实体,都属于私有财产,而以正当的手段所获得的这些私有财产,受到法律的保护,自己可以随意享用,那毕竟也是一份人生的乐趣。我的这位老朋友,他家里一般的生活用品自然齐备,大体而言,也绝不落后,比如,他迁入新居后,书房里有了更大的画案——他已经算得是一位颇有造诣的书画家,所新置备的那些书法绘画的工具,在我看来未免过奢;但他却仍不改一度寒微时的生活做派,比如,他那客厅和书房里的各种物品,就都摆放得相当地凌乱。他说,他的家不是拿来向人展示的——时下有的人很注意把自己的家里装修、布置得堂皇富丽,而且还特别把邻居、同事乃至并不怎么亲近的人,邀到自己家里"参观游览",希望从"来访者"嘴里听到赞赏羡慕之词——也正因为如此，其装修布置的风格，也便尽量向"公众共享空间"，如饭店、酒吧、KTV 包房等处所看齐。那或许也是一种值得尊重的居家风格，却为我的这位老朋友所不取。他是除了我这样极熟极好的朋友，轻易不请人到他家去的，而且，即便我这样的朋友到了他家，活动区域也仅只是客厅、书房等处，有的区域，特别是卧室，那是总关起门来，不对外客的。他也从不征询来客对他家设施和布置的"观览意见"，从他有时坐在藤制摇椅上微微晃动着，那怡然自得的神情上看，他显然对自己关起门来的这片"皇土"非常地满意，对我和别的什么朋友印象如何，简直一点也不在乎。他邀我们去只是为了交流心情与感悟。

当然，那不是他一个人的家。他老伴，我们也很熟，但我毕竟还算不得他们两位共同的朋友，我知道他们有那样的朋友，那样的朋友来时，他们会基本上采取共同接待的方式，尤其是聊天时，他们双方都会参与；我只能算是他的好朋友、他爱人的一位熟人。我去后，他爱人会出来招呼，会倒来茶水，会同我寒暄或开几句玩笑，但我们开聊后，便会很自然地消失在别的房间里，直到我告辞时，才再一次露面，一同送客。他爱人也有自己的朋友，那也只能算是他的熟人，那样的客人来访时，他也只是迎、送时露面。可见他们家"关起门来作皇帝"，其实是一扇大门里有两个皇帝，或者说是两个平等的"执政官"。我很欣赏他家的这种格局。

有一回我们两个闲聊，他回忆起"文革"里的事情，说："那时候，不管社会上多乱，自己在社会上的遭遇有多惨，只要还有一扇家门可进，到晚上这扇门还能关上，一家骨肉还能在关起的门里相聚，并且至少还能用低语、眼神和身体接触来表达相互的慰藉，那就好比一个王国遭到了侵略却还没有灭亡……"又说，"文革"里，他所知道的，几个自杀的人，那外在的浩劫当然是主要的因素，但他们的家门里面，都出现了家人给自己贴出的"大字报"，并有家人不管是出于真诚入魔还是畏惧自保，所施予的批斗、呵斥与讥讽，他以为那是个体生命最后一块"独立王国"的覆灭，个体生命真正是到了"无立锥之地"的绝境，难怪活不下去。他没有细说那时他爱人所给予他的濡沫之情的细节，但我自己也有类似的生命体验，确实，一方面，"将就是夫妻"，谁和谁真正能像一片叶子的两面那样联为一体呢？再相亲相爱的夫妻,至多也只是并蒂花罢了,各自还是有各自的独立性,即使在关起门进的一个家里,也应还能有各自的物质与精神"领地",比如各自的日记本;所以,夫妻必有相矛盾乃至相冲突的时候,争吵、怄气,恐怕都是常态的存在,这就必须到头来互相将就,逐渐磨合,以容忍、协商、通融、妥协来达于和平共处;但另一方面,夫妻又确实是一扇门里的"联合王国"的"双执政",只要这扇门里不发生内乱,不仅作为社会最小细胞的家庭不会崩溃,夫妻各自的生命力,也可望在这里获得最坚实的支撑。

　　一般的家庭,不可能是空间阔大的豪宅,有的家庭,直到今天从社会上所获得的空间甚至还相当地狭溂,但一个家庭的是否幸福,在很大的程度上并不取决于那关起门来所享用的空间究竟有多大,而在很大程度上取决于其空间里的温馨度究竟是否浓酽。近二十年来,我自己的家庭随着社会进步,所享用的空间不断得到扩大,这当然是幸运的事,但回忆起来,当我们一家三口挤住在一条小街的一所杂院的一间只有十平方米的小东屋时,竟也有着那么多的快乐!而最大的快乐,是沐浴着温馨的亲情——春天,窗外的洋槐花开了,用铁钩子扭下一些,洗干净,夫妻齐动手,和上面粉,炸来吃,其乐融融;夏天,没有电扇,更不知空调也者为何物,家里也还买不起电视机,摇着大蒲扇,听妻子讲些小时跳荷花舞的往事,闭眼悬想,秋风吹来,中秋节到,商量如何给一对往昔的邻居——身边没有儿女,且生活较我们拮据的徐大爷和王姨,送去贺节月饼;窗外雪花纷飞,稚子把一只在煤炉上烘热的红橘扣到大碗下面,好让妈妈归家时能吃到温度恰到好处的橘瓣……家啊,家啊,关起的门里,没有什么经国济世的宏大叙事,但那些琐琐屑屑的零篇短简,构成了我们生命史中珠串般的小诗,宁不珍惜?

窗外一株银杏树

那一年秋天，因为航班晚点，入夜才抵达外省的一个宾馆，非常疲惫，倒头便睡。黑甜一觉醒来，睁开双眼，只觉得满眼金光，原来，窗外一株银杏树，那枝桠上满缀着折扇形的秋叶，被晨光一透，闪烁出那样令人迷醉的光泽。

我倚窗欣赏那银杏树，进来招呼我的同伴却对我说："啊，那是个单身汉啊——也许，是个单身女士，反正，是单身……"

在乔木里，银杏树确实挺特殊，它们雌雄异体，是乔木中的"单身族"。

北京是个有着很多银杏树的古城。有些银杏树上千年了，比如五塔寺里那金刚宝座塔前面，一东一西，两株古银杏都有四五个人张臂才能合围那么粗，十多层楼房那么高，到了秋天，仿佛两柄顶天立地的巨伞金帐，好有气派！那两株树一雄一雌，既独立，又交欢，深秋时结出累累果实——银杏，俗称白果。风吹过，熟透的白果噼噼啪啪落在地下，往往形成好大一片。白果有毒，生食极其危险，炒熟或煮软了毒性大减可以吃，但仍有微毒，绝不可多食。

古时候种银杏树，似乎尽量地一雄一雌搭配着种，体现着一种传统的伦理观念。现在银杏树常被选为绿地中的观赏树或街道边的行道树——例如北京那可与日本东京银座媲美的王府井步行街，堂皇富丽的商业建筑群前，就等距地栽种着银杏树——但现在的栽种方式，却是有意地使其在一处场所里单性化，要么全是雄树，要么全是雌树，这从功能性上说，是为了避免秋天结果后落果会增加清扫地面的难度，也避免那有毒的果实被不懂事而又贪口的路人捡食后出问题；此外，我总觉得，这也多少体现出了现代社会比较开明的伦理观念——为什么非得雌雄配对？为什么不可以单身到底？

单身，依我的理解，有两种模式。一种，是谢绝性爱，不仅不找对象不考虑结婚，也不找异性或同性的伴侣同居，却可能比较看重亲情和友情，他或她可能会同父母长期居住在一起，会与从小学、中学一直到大学的不少同窗保持较热络的联系，而且往往会和同代人中的若干对夫妻成为很亲密的朋友，成为人家爱巢中经常性的座上客；这样的单身人士除了无性爱不结婚以外，其生活方式其实并不怎么单身，甚至于，他们在情感上依赖亲友的程度比许多结了婚的人还高，即使一个人独处一室，也很喜欢"煲电话粥"，倘若有一段时间里不能得到亲友的招待，他们便会怏怏不乐，性格上接近未成年的大孩子，心地多半善良而单纯，容易得到满足，即使心情不好，也不会有什么出格的表现。另一种呢，有性爱，却不打算结婚，也不打算跟异性或同性的朋友建立同居关系，他或她绝对不愿与哪怕是最友善的亲友同住一处，他们单身的标志必得是拥有个人的私密空间——无论是分配来的还是借来的租来的买来的——而购买一处完全属于自己，不对外人轻易开放的私密空间，是他们在人生物质追求中列为首位的头等要事；他们的社交活动一般都约在餐厅茶寮等公共空间里进行，那样的活动或许会很多，但他们最感觉愉快的还是在个人私密空间里独处时的那一份难以言喻的感觉——他们在自己那私密空间里究竟做些什么？也未必是所谓"见不得人的事"，可能是听音乐，看光盘，上因特网漫游，翻阅报章杂志，品味经典名著，写日记，画架上画，拍摄自己的"行为艺术"，创作不一定拿出去发表的诗歌、小说，制作小玩意，摩挲收藏物，乃至于只是凝望着天花板上闪烁的光影，沉思冥想。

对上述两种单身人士，我都能理解。我尊重他们的人生选择。其实，像我这样不仅结了婚，而且目前是"上有老，下有小"，三代同居的典型的非单身人士，有时，也需要一个人静处一室，不希望哪怕是最亲近的人来打搅，获得一种"我是我自己，我有自己的空间、时间与自由的心灵"那样的尊严与快感。

又想起了那回倚窗欣赏摇曳着金光的银杏树的情景。每一种树都有其独特的生命之美，包括一贯单身的银杏树……

远看皆风景

1

一位大学学生来找我，说要讨论《二十四孝》的问题，我吃了一惊。1949 年才七岁的我，生长在红旗下，没有念过旧式私塾，后来又经历了一波胜过一波的政治运动，到二十四岁时更赶上了"文化大革命"，被席卷于"破四旧"的狂飚之中，那以前，没读过也从未想去读《二十四孝》，直到八十年代改革开放以后，我才头一回读到过完整的《二十四孝》。我青年时代对《二十四孝》的了解，是通过鲁迅先生的著作，他那《朝花夕拾》的集子里，有一篇是专门抨击《二十四孝》的，但他那文章里并没把二十四个宣谕孝道的故事引用完全，所以我在很长时间里一直不知道那全部的孝子究竟都是哪些人、做了哪些事。

来找我的大学生当然也读过鲁迅的那篇文章。他对我说："鲁迅先生那个时代写那样的文章，可以理解。但那文章是片面的……"我强耐着性子听他把话讲完。据他说，鲁迅先生最反感的两例，"郭巨埋儿"确实是百分之一百的糟粕，哪有为了保存老的消灭小的这样的道理？不要说人类，就是一般生物，为了种的遗传，总是要舍老扶小的。另一例，"老莱子娱亲"，鲁迅先生也指出，最早《太平御览》所引的记载，是说他"常著斑斓之衣，为亲取饮，上堂脚跌，恐伤父母之心，僵仆为婴儿啼"，这虽多少有些肉麻，但事情的本质是随机应变，似乎也不必对之深恶痛绝；后来元代郭居敬编写《二十四孝》，将其发挥为"诈跌仆地"，鲁迅先生因此才痛斥道：

"无论孝顺，无论忤逆，小孩子多不愿'诈'作……道学先生以为他白璧无瑕时，他却已在孩子的心中死掉了。"另外，宣扬迷信的"哭竹生笋"和"卧冰求鲤"，也遭到鲁迅先生的抨击嘲讽。

那位大学生说，他是从社会学的角度来研究《二十四孝》的。所谓"孝"，指的是年轻的生命关爱老龄的生命。当今的人类社会，进入了"亚高龄社会"状态，中国也不例外。因此，全人类此前的有关"长幼协调"的文本，皆可作为借鉴的资源。从这个角度来研究，《二十四孝》是列为首批选用的"可利用资源"之一。他说着拿出一张单子给我看。原来，他已从统计学入手，将《二十四孝》里的二十四例"孝行"，分类排列于下：

应予完全否定的：郭巨埋儿。

意愿可取，而事例的成功几率奇低，属于宣扬神迹迷信的：涌泉跃鲤、哭竹生笋、卧冰求鲤、刻木事亲。

出发点可取，而沦于低级趣味的：戏彩娱亲。

应予基本肯定的：孝感天地（虞舜耕于历山，养活全家）、鹿乳奉亲、单衣顺母、卖身葬父、行佣供母、怀橘遗亲、闻雷泣墓、盗蚊饱血、尝粪心忧、乳姑不怠、弃官寻母。

可以全盘肯定的：为亲负米、亲尝汤药、拾葚供母、扇枕温衾、扼虎救父、亲涤溺器。

不可视为迷信，可以找到遗传学与心理学依据的，富有浓烈人情味的：啮指心痛（曾参采薪山中，家有客至，母无措，望参不还，乃啮其指，参忽心痛，负薪以归，跪问其故，母曰：有急客至，吾啮指以悟汝尔）。

据他这样一算，因为反人道而纯属糟粕的只有一例，只占5%；含迷信观念和低级趣味的加起来五例，占20%；能够肯定的，即在今天仍可作为协调代间关系的"可利用资源"的例子，竟有"十八孝"之多，占到75%，即四分之三！

对这位大学生的研究，我始而愤懑气结，继而摇头叹息，末后我对他说："当年鲁迅先生，还有一批'五四运动'的健将，他们对那支撑了几千年封建社会的旧礼教、旧道德、旧书旧文，真是怀着深仇大恨啊！他在《狂人日记》里借主人公的口说，几千年那超稳定状态的封建社会的历史，每页上都写着'仁义道德'几个字，但仔细看去，满本都写着两个字是'吃人'！他写《二十四孝》一文，是1926年了，而且整个《朝花夕拾》的文本，比《坟》《呐喊》已经平和多了……但鲁迅先生已然彻底全盘否定掉的东西，你现在怎么能这样毫无心肝地去……搞什么'定量分析'，捞取什么'可利用资源'啊？！"

大学生只是望着我微笑，倒很有点"二十五孝"，不，"十九孝"的劲头，他耐心地对我说："鲁迅当年对封建礼教的那些批判，其文本价值永存。他的那种片面，是时代激情的片面，进步的片面，应当理解，并充分肯定。你们那一代人，对凡是带'旧'字的事物，'旧社会'、'旧中国'、'旧文化'、'旧文人'、'旧事物'……的反感，也确实是值得尊重的认知和情感。但是时过境迁，我们这一代人，必然要产生新的思路，而且，我们在追逐最新潮的事物，特别是外来——又尤其是西方——的种种最新的学术时尚与生活时尚的同时，也把离得越来越远的，旧而老的东西，当做最有趣的事物，从中捞取可利用资源……光举一个例子就够了，你看现在《老照片》那样的书卖得多火，而我们，最年轻的一代，是最大的购买阅读族群……您为什么还不明白呢？"

2

我为什么还不明白？

大学生走后，我一个人静静地思考了很久。我重读鲁迅先生的《二十四孝》一文，发现他那文章开头起码有上千字是且顾不上斥《二十四孝》，而是切齿有声地诅咒"一切反对白话，妨害白话"者，甚至于说："只要是对于白话来加以谋害者，都应该灭亡！"

"五四运动"以后，白话文取得了决定性的胜利。谁算白话的谋害者呢？我一时还想不出来，但反对白话者，那可是一下子能想出一串来：林琴南、辜鸿铭、陈寅恪、吴宓……

现在大家虽然一提起鲁迅都是异口同声地表示崇敬，但是他对反对白话者的那种深仇大恨,究竟还有几个后人将之视为"可利用资源"呢?

相反,现在像我上面所提到的林、辜、陈、吴诸位,都出了新版的文集或专著,关于他们的传记、论说也层出不穷、热闹得很,而且正面评价如潮涌动,蔚成一时大观。而"五四运动"时为推行白话文鞠躬尽瘁的健将,如钱玄同、刘半农等,真是萧条得很,他们的书有几本重印了?销得动吗?谁热心为他们立传、对之研究考评?甚至一些专业与其无关的大学生,简直不知道他们是什么时候干什么的人。

陈寅恪对白话文的态度是最决绝的。他1949年"陆沉下的抉择",是留在了大陆广州,一直活到1969年,却始终不用白话文写作,并且不允许把他写的书用简体字、横排本印制。1996年一家出版社出了一套"二十世纪中国学术文化随笔大系",共收入二十位学界泰斗的集子,编印都很严肃认真,我得到一套,其中陈寅恪一册使我对这位自关于其"最后二十年"的传记出来后,因"独立之精神,自由之思想"十个字而蜚声知识界的大学者,有了更多的了解,感到弥足珍贵;可是,不久就看见某报上刊登了出版这套随笔大系的出版社的道歉声明,事情的起因是陈的遗属重申,绝不允许以简体字、横排本方式印行陈的任何文字;该出版社并表示将已印行的有白话文序跋、注释,并以简体字、横排本印制的陈的随笔集加以封存、销毁。

陈寅恪的名字和他那"十字箴言",现在是任何一科的大学生都耳熟能详的,已成为常识范畴里的东西。白话不白话,如今已然完全不在眺望他那道风景的考虑之中。

3

是的。离得远了,当时是非谁管得?时间的筛子所留下的,只是现在时刻人们眼里的一道风景。

我1985年买到一册上海书店印行的张爱玲的小说集《传奇》,除了加上一个套封,基本上是"民国卅五年十一月增订本初版"的原样;那影印的原封面借用了晚清的一张时装仕女图,画着个裙裾下露出三寸金莲的女人,幽幽地在那里弄骨牌,旁边坐着奶妈,抱着孩子……可是栏杆外,很突兀地,有个比例不对的人形,像鬼魂出现似的,那是现代人,非常好奇地孜孜往里窥视。光是《桂花蒸阿小悲秋》那样的标题,就让我觉得无比新鲜。但是,一位比我大二十来岁的同行,对那本书便怀有一种天然的反感。为什么反感?其实,张爱玲在那本书开头《有几句话同读者说》里,已有所透露:"我自己从来没有想到要辩白,但是最近一年来常常被人议论到,似乎被列为文化汉奸之……惟一的嫌疑要末就是所谓'大东亚文学者大会'曾经叫我参加,报上登出的名单内有我;虽然我写了辞函去……至于还有许多无稽的谩骂,甚而涉及我的私生活……"那位同行对我说:"四十年代初,我已经是个青年人,那时的情绪整个被抗日这件民族危亡的泼天大事笼罩着,就是爱好文学,也总喜欢那种与民族救亡有直接关系的激昂文字,对于张爱玲那种在民族危亡关头还只是津津乐道于'出名要趁早',写些幽幽地弄骨牌、雇着奶妈抱孩子的富家女人的喜怨哀乐的文字的作家,实在是不能不鄙夷……当然,抗战胜利后,如果把张爱玲定成文化汉奸,我也并不赞成,她确实并没有去参加日本鬼子搞的那个什么'大东亚文学者大会',她与汪伪政权的汉奸胡兰成有情爱关系,那确实也只是她的私生活,可是,为什么日本鬼子会把她列入那种会议的名单?她本人固然没有在汪伪政权里做事,可是直到抗战后胡兰成逃匿到温州,她还去寻找他,这样的'私生活',又怎能不令人嗤鼻?更何况,五十年代她跑到香港,后来又跑到美国,写了《秧歌》等大厚本的反共小说,思想不去说它了,艺术上也属于粗制滥造,怎么你这样的人,可以这些都置之不论,只是接受夏志清的那些评价,把她视为了中国现代最了不起的作家呢?"

张爱玲出版她那《传奇》时,我还不识字。我在成长期里,根本不知道有她这么一个作家。八十年代一旦接触到她的作品,特别是被夏志清在他那本用英文写成的《中国现代小说史》里誉为"中国从古以来最伟大的中篇小说"的《金锁记》,真感到眼界大开——文笔确实佳妙,光是开篇的那个比喻句"……三十年前的月亮该是铜钱大的一个红黄的湿晕,像朵云轩信笺上落了一滴泪珠,陈旧而迷糊",就令人叹服。那位比我大二十来岁的同行因为曾与张爱玲有过"共时空"的近距离观察,所以会有那样的主观感受。而我,因为离得实在太远,所以没那么些个"时代主流情感"的前提,张爱玲于我而言,只是一道提供审美愉悦的美丽风景。

4

进入二十一世纪，整个二十世纪，包括那最后的十年，也一下子离得远了。

我想我的心态应该趋于成熟。那种在当时当境下形成的某些不容争辩的"定论"，并不是说要一律加以推翻，正如那位大学生对待《二十四孝》一样，他丝毫没有想否定鲁迅先生反封建礼教的历史性功绩，也并没有想亵渎鲁迅先生那篇激烈抨击《二十四孝》的文章的文本价值，但是他在远处看风景，结果看出《二十四孝》也并非一味地腐丑，从中还能提取出有利于现代"亚高龄社会"里，代间亲和的"可利用资源"。

因此，如果我在二十一世纪里遇到这样的"观景者"，提出一些类似的"观感"，即使我不能跟其达成共识，我至少不会再惊诧莫名。

记得我曾在外地从宾馆去往机场的一路上，看到不少乱扔的垃圾，还有被风吹挂到行道树上的塑料袋，搞得情绪非常地坏，那时觉得这片土地真是没治了！但是当我乘坐的客机升空以后，我从舷窗下望，映入眼里的是翠绿的田地、青黛的林带、齐整的公路、蜻蜓翅膀般的立体交叉桥、反射着天光的蜿蜒河流，以及簇簇彩色积木般的房舍、塔楼，说明生活在这片土地上的人们，毕竟不懈地创造着新的文明……

远看皆风景，不是说要在历史的疮疤和现实的问题面前闭上眼睛。

是要竭力从彼时彼境的局限性里跳出来，获得更宽宏因而也更大量的历史眼光，尽可能撷取一切可利用的传统资源。

是要在观察现实问题和展望未来时，获得更全局因而也更本质的景观，以保持应有的乐观信心与锐进气魄。

2000 年来临时，于温榆河畔

落下脚跟

最近接连看到两篇文章，都强调作家应该站在穷人一边。两篇文章发表在不同地域的报纸副刊上，作者并非一人，可谓"英雄所见略同"。之所以会有这样的议论出现，是因为现在——准确地说应该是从上世纪八十年代以降，在文学创作上——也不仅是文学，包括影视等艺术领域——出现了越来越"媚富"的苗头——现在应该说已经不是苗头，而是相当茁壮地成长着的大树了。讲述近二十年先富起来的人的故事，把致富者放在叙事的中心地位，企图引导读者或观众与他们的喜怒哀乐心弦共振，这样的文本颇为不少，可惜成功的似乎还不多——有部长达百集的肥皂剧，淋漓尽致地表现那已然富起来的男女，怎么在堂皇的经理室与豪华的别墅里遭遇事业的磨难与情感的波折，也不能说那不真实，但可惜的是，无论是其中所包含的生活真实，还是艺术家努力营造出的艺术真实，费了一百集的工夫，依然未能达到预期的效果。因为我们的社会是从否定市场经济转向肯定和大力推行市场经济，那么挺迅疾地发展着，所以文学艺术里，也便出现了一股把近百年率先在经商上取得成功的个人及其家族，加以挖掘、重塑、弘扬、光大的，不能算太小的浪潮，光是取材于全聚德发家史的，话剧、电影就各有一部，而且从立意和艺术上都获得好评，这几天晚上，我还在电视上看到一部从长篇小说改编过来的，讲瑞蚨祥绸缎商发家历程的连续剧。似乎各地都有积极为本地历史上的富商巨贾树碑立传的作品出现，像关于山西钱商、徽州商人的作品，我都有些印象。尽管出现了我上面所说的，吁请站在穷人一边的声音，但我相信，为历史上的富人和如今的新富树碑立传的作品还会陆续出现，而且其中也一定还会有某些获得较广泛好评的作品——因为即使是这其中比较蹩脚的作品，也懂得对作为主人公的富人，要写出其社会评价的多面性，以及命运的诡谲与人性的复杂——我预测，写富人发家艰难的文本，经历了多年的阶梯式发展，在新的世纪里，可望会有新的突破。

一部作品，是把富人当主人公，还是把穷人当主人公，这基本上只是个题材问题，或叙述角度问题，作家愿意怎么选材，愿意怎么叙述，应有充分的自由，似乎没有争论的必要。上面提到的两篇文章，似乎也不是简单地反对把富人当做主人公，或叙述策略上选取了以富人角度"主述"的方式，他们的批评前提是：作家同情心倾向哪一边？在他们看来，有些作品，确实是脚跟站在了富人一边，美化富人，崇富，媚富，因而成了问题。

要说时下写富人没写成功的作品，是作者的立场出了问题，恐怕是不准确的。就政治立场而言，他们甚至应该率先得到肯定——他们的积极表现在改革开放大潮里先富起来的人物，不消说有近距离配合政治宣传的，起码是潜在的动机；而将老祖宗里的市场经济先行者加以拂尘涤垢，特别是展现他们的坚韧的创业精神，又特别是表现他们身上所体现出的传统道德和爱国主义的正气豪情，又不消说有以古喻今——或者说是以古励今——的政治热情。他们的问题，恐怕并不在选材的"穷"与"富"上，而是疏离了文学的本性吧。

作家站在穷人一边，是否就进入，或至少接近了文学的本性呢？似乎也不能这样简单化地理解问题。中国古典小说的瑰宝《红楼梦》里虽穿插了刘姥姥那样的穷人形象，整个儿却绝对是写富人的，西方作家，像英国的高尔斯华绥著有大部头的为银行家树碑立传的《有产者》，德国的托玛斯·曼著有展现四代富商家史的《布登勃洛克一家》，就是旧俄被无产阶级革命家列宁激赏的高尔基，他虽有写穷人的小说《母亲》和剧本《底层》，却也有艺术上甚至是更精彩的写富人的小说《阿尔塔莫诺夫家的事业》、《福玛·高尔杰耶夫》和剧本《叶戈尔·布雷乔夫》，可举出的例子还有很多——这些已经成为人类文学经典的作品，尽管对笔下的富人持无情揭露与严厉的批判态度，却并不一定就是站在了穷人一边，比如《红楼梦》，作者是坚定地站在"金陵十二钗"那些贵族富女一边的，曹雪芹笔下的王熙凤，可恨可杀的一面写得淋漓尽致，然而其描摹中占据上风的情感倾向，还是将其视为可爱可叹甚至可敬可惜的巾帼英雄。

把穷人当主角，站在穷人的立场上写作品，从 1949 年到 1976 年，在中国大陆是从事文学创作的 ABC，就是上个世纪八十年代，尤其是 1985 年以后，虽然文学新潮涌动，但当时形式上的突破，即所谓文本颠覆，给人的印象压过了选材上的穷富问题——无论是刘索拉笔下的"别无选择"一群，还是徐星笔下的"无主题变奏"一族，角色虽新，甚至论悖逆精神颇为富有，在物质金钱层面上也还属于囊中羞涩——1992 年以后就不一样了，写富人，富人写，给想富的人看，开始风行起来，而这也绝非空穴来风，大多并非向壁虚构——中国大陆确实开始出现自 1949 年后拥有个人财富量令人咋舌的一个小群体，而尚未能拥有那么多个人财富的绝大多数人群里，不少人也不知不觉地形成了以个人财富为成败荣辱标准的价值观念，尤其是年轻的一代，中学生填写表格，遇到"成分"一栏，问家长："咱们家什么成分？"告曰"贫农"，或"城市贫民"，这在 1949 年到 1978 年之间，一定会引出自豪感，在 1992 年以后却反而引出了浓酽的自卑情绪——"咱们家怎么会不是富农呢？""爷爷当年为什么不是资本家？"在这样的社会心理背景下，出现慕富、颂富、渴富、媚富的文学艺术浪潮，出版者格外积极地"卖富"，消费者以此"先从心理上富起来"，买卖双方互动激励，一时形成繁荣局面，说这是中国社会发展的宿命，也不为过。

所以，与其说是一些文学艺术家在创作中出了问题，不如说是我们社会还没有调整好价值观念，没有解决好社会财富分配不公，特别是在获得财富的起点上和过程里都不够公平的这个至关重要的，笼罩着一切的大问题。关于穷人与富人、精神与物质、道德与利润……人们的认知上出现了大混乱，"福布斯"对每一年度世界首富的排名，比"格莱美"对流行音乐的排名或"奥斯卡"对商业电影的排名，在中国大陆似乎更为人津津乐道。2000 年报纸上又开始了关于"知本家"的宣传热潮，据说最能利上生利的本钱已经不是"资本"而是"知本"，因此进入尖端学府掌握尖端科技拿个尖端学位谋个尖端科技的营生，对于正培养着子女的父母，还包括其祖父母外祖父母，成为了既紧迫而又持续焦虑的人生职责——可是，国家的教育管理部门却又在大张旗鼓地实施为中小学生"减负"，往往是同一张报纸的这个版面上在宣传"减负"，那个版面上却在揄扬要成为"知本家"才叫有出息，两种话语之间尚不能圆成一个逻辑，存在着理路上的明显龃龉，到现实生活里，则就我所知，许多的家长宁信"知本论"而不大认同"素质教育论"，学校减掉的"负"，他们偷偷再加上去，甚至抱着"别人减了我加了，孩子考入重点中学、名牌大学，跻身'知本家'行列的几率必然增高，岂不便宜大大的！"这样的心态。一些课余去搞"家教"的大学生就告诉我，现在"家教"的卖方市场反而看好，正是提高酬金的大好时机！我说了这么多似乎与当下文学艺术无关的事情，其实哪里是无关，竟是息息相关，不信你等着瞧，以"知本家"为题材的摩登文学艺术作品，从小说到肥皂剧，很快便会源源上市。

　　情况很复杂，因素很多且缠夹不清，也不能轻率地责备谁，就现象而言，近八九年来，不少作家，以及扩而大之到不少的文学艺术创作者，再扩大到不少的文化人，在社会转型的巨变中，随着整个社会价值观念的破裂、漂浮、混乱、暧昧，落不下自己的脚跟，踮着脚尖一路小跑，企图"跟上时代的步伐"，结果是气喘吁吁，撂下一串撰写的或主编的应时出版物，而终究还是没有找到自己最恰切的站位，旁人看过去，那跑出的轨迹连合不拢口的圆圈也不是，甚至很像是"九连环"似的"乱步"。

　　就眼下文化格局特别是文学格局而言，用多元形容，绝不为过。有人可能不大同意用"多元"而主张用"多样"。但既然《谁是最可爱的人》和《许三观卖血记》，还有比如说《芙蓉镇》和《金光大道》，《看上去很美》和《第二个太阳》，《青春之歌》和新出炉的最年轻一代女作家的《糖》，都是我们书店里的合法出版物，一起陈列在那里供读者或者说文学消费者自由选择，你总不能说它们的区别只是不同的"样"，而不是全然不同的美学"元"的呈现。在多元的格局里，也很有些写作者颇为自觉地落下了脚跟，选择了自己的站位，轻易不再挪移。稍稍加以观察，就可以发现，其实在"写富人"和"写穷人"的选择之外，还呈现出了许多种另外的选择，比如"写自己",而那"自己"可能比起学识财富双匮乏的穷人是富裕多了,但比起精神物质双富有的人来说,则又显然有所不足,如非加以归类,可能就是所谓的"中产阶级"吧,当然,就属这"中间谱系"的色彩最丰富,从中规中矩的道德守望者,到乱性嬉皮的悖德而自傲的角色,林林总总,无奇不有。还有抨击官场颓风和揭露腐败现象的,虽然有的仅是"照景实录",或以包公式的清官来收拾触目惊心的腐败残局,就文学性本身而言究竟高下如何还需个案评析,但这些作品无疑也可以算得是站在了穷人(国企下岗职工、城市低收入者、社会无业人员,特别是他们当中的被迫害被冤屈者)一边,至少是替他们出了一口恶气。

但既然出现了吁请站在穷人一边、抨击"媚富"的声音,可见在多元的格局里,如何确定写作者的价值标准,脚跟落下在什么坚实的东西上,确实构成了一个当下应该加以讨论的问题。

上面已经提及,我思考的结果是,写富人也好,写穷人也好,写中产阶级人士也好,写经济面目不清的自我或他人也好,都只是个选材的问题,如果写得不成功,各种原因之中,最主要的,恐怕是没能进入到文学的本性之中。

文学的本性,其实在认知上,也从来都呈现着多元的见解。依我看来,"媚富"固然令人皱眉齿冷,"媚穷"也未必就可取。作家写出的文本可以不动声色,看不出倾向性;如有情感的倾向性,比如就同情心而论,能把同情心奉献给穷苦一方,不消说是好的,但正如上面已经提及的《红楼梦》,曹雪芹在被打击的穷丫头坠儿身上所表达出的同情,远逊于做过迫害尤二姐及若干亏心事的富婆王熙凤,你可以说,曹雪芹这样写可能在道德导向上存在一定问题,但在进入文学本性这一点上而言,他对王熙凤的塑造,应该说是达到了一百的满分。

就我个人的美学取向而言,我最仰慕的,中国是曹雪芹,外国则是旧俄的陀思妥耶夫斯基。

陀氏的处女作,中篇小说,巧得很,题目就是《穷人》,那当然是"站在穷人一边",其对穷人生存困境的同情,也是溢于字里行间的,但是,倘仅仅达到这个份儿,恐怕也只能算是一个良好的作品罢了,可是《穷人》却达到了优秀,为什么?因为作为一个文学作品，它深入到了文学的本性之中——对人性的挖掘，它在描摹主人公的穿越穷困以及真诚的爱情向往时，也揭示了他心灵中令读者读来因不忍而颤栗的卑微。他的第二部作品，也是他的头一部长篇小说，题目也很直截了当，就叫《被侮辱与被损害的》，我以为，光是这个题目，就值得我们一再体味，如果你真想同情自己以外的人，那么，说穷人，其实并不一定准确，那些明明有工作能力，甚至身体比一般人还康健，却偏偏去作职业乞丐的穷人，你恐怕就很难站在他一边，给予他你宝贵的同情心；说失败者，也一样不一定准确，希特勒和江青都是失败者，怎么能站在他们一边给予同情？陀氏这"双被"的提法，准确极了，脚跟落在"双被"者一边，是一个至为准确的站位，体现出了作家向社会不公发出呐喊的艺术良心。但陀氏的了不得之处，是他在抨击、批判侮辱损害别人的富有者，对"双被"者给予充分同情的时候，还能撕开"双被"者那甚至是相当清白的灵魂，加以无情的拷问。这就是文学的"正经活儿"。在《罪与罚》里，他更表达出"双被"者也应有面对自己灵魂，勇于救赎的精神，那样的一种令人不能不掩卷深思的沉痛吁求。陀氏有时也把富人当做作品的"一号角色"，比如《白痴》，当然那主人公梅斯金公爵是一个富人中的异数，他无论是在贫穷状态下，还是在突然获得大笔遗产暴富之后，都始终保持着孩童般的水晶心，这恐怕是作家以一己的理想虚拟出的人物，但因为该作品的叙述技巧很好，这一人物居然也还血肉丰满，有相当的"蒙蔽性"；不过统观这部作品，最令读者心灵颤栗的，可能还是那个退休将军的儿子，相对贫穷而不甘贫穷，在金钱的利诱前，灵魂如同麻花扭动般痛苦的，给害过自己父亲的现任将军当秘书的加利亚，陀氏对他的刻画真可谓力透纸背、入木三分。陀氏创作的最高峰是《卡拉玛佐夫兄弟》，值得特别注意的是，他把一个最颠顸卑污的灵魂，给了一个似乎是几个主要人物里最穷，并且乍看上去也最符合"双被"标准的，老卡拉玛佐夫与最污糟的女性在最不堪的情景下所生下的那个私生子，陀氏是在引导我们超越贵贱贫富，去痛苦地探究人性的永恒秘密吗？

要解决社会不公的问题，割除腐败、组织好社会生活，使"双被"者不再"双被"，使为富者能仁，贫穷者能脱贫，说实在的，文学，加上其他的艺术门类，甚至再加上学术界的研究探讨，恐怕铆足了劲儿，所能达到的实效也毕竟有限。就文学而言，它的本性，恐怕还不是救世，而是净魂。这净魂的含义里，也不仅是灵魂的拷问与救赎，还应有生命诗意的开掘，与文字美感及丰富象征的营造——如曹雪芹在《红楼梦》里所达到的。陀氏的作品里，有一部《恶魔》，曾把旧俄的革命家们气了个仰翻，因为在那部作品里，陀氏把口称为民请命的革命精英，刻画为虚伪的权力欲者，这部作品在"十月革命"后很久都不能再版。这件事情不是一两句话能说清楚的，但我们至少可以从中悟到，文学家的站在"双被"一边，那思路、方式与终极诉求，是可能与要彻底清洁世界的革命家很不一样，乃至发生抵牾的。

反省自己，在近二十年的社会风云变幻中，也有踮起脚尖不知该往哪个方向跑动，以至瞎跑了步子的情况，但由于自己在大格局里越来越边缘化，也就越来越没有害怕"落伍"的焦虑，因此也就不再踮起脚尖喘吁吁地随潮，并在一再思考中，渐渐选定了自己的文学站位——落下脚跟，立马遍体清凉。当然，由于自己的青春期里，没赶上好时候，自己运气又不好，学养见识都比较欠缺，尤其是，最根本的，自己的灵气可能先天就未必上佳，加上年龄逼近了花甲，在这个选定的站位上，究竟还能写出些什么文字，不敢自诩。只能对自己说：努力！同时，把自己的有关思考，写出如上，或许对某些人，也还有些参考价值吧。

2000 年 2 月 22 日绿叶居

秽处寻芳为哪般?

一位小我一轮的同行告诉我说,他打算深入了解一下眼下的风尘女子的生存状态与内心世界,我听了当时虽然未予置评,事后却很腹诽了一阵。

眼下传媒中时有关于"端掉卖淫嫖娼窝点"的报导。那报纸上的照片里,"风尘女子"常用身边的报纸或别的什么东西遮住自己的颜面;倘是电视,那画面上的"风尘女子"的面容则用技术手段使其"布格子化"。在我们中国大陆,卖淫嫖娼是犯法的。从社会道德上说,无论嫖客还是娼妇,都是可耻的,令人鄙弃的。"深入了解一下眼下的风尘女子的生存状态与内心世界",是为了配合公安部门打击卖淫嫖娼,还是为了从道德上对"无行男子"和"风尘女子"进行批判,以淳世风?那位小我一轮的同行,其创作特色似乎从来都不是"配合"式的"歌德"与"批判",那么,他对"风尘女子"的探究,会构成怎样的一种作品?

谁知,这些天,我忽然想到,中外古今,表现"风尘女子"的文学作品——也不仅是文学,包括其他门类的艺术创作,实在很多,细加检索,怪了——能想起来的,竟几乎全是对"风尘女子"——咱们也别绕弯子了,"风尘女子"就是妓女——表示同情,乃至于肯定的!

太久远的,姑且无论。拿中国唐朝来说吧,白居易的《琵琶行》,这是眼下入了中学语文课本,并且在有国家领导人观看的,唐宋名篇音乐朗诵会上,由德高望重的老艺术家,噙着泪珠朗诵,令台下多少高雅观众唏嘘不已的经典作品;请问,其中所塑造的那位妇女形象，是怎样的身份？她原来就是一个妓女，"老大嫁作商人妇"嘛！白居易有个弟弟，叫白行简，他写过一个短篇小说《李娃传》，那里面的主人公李亚仙也是一个妓女，作者对她不仅是同情，而且赞美她的聪明机智和高尚品德，这故事后来被改编为戏曲，直到今天，以李亚仙为主角的《绣襦记》仍时有演出。

　　这种对妓女的同情、歌颂，后来几乎成了中国古典文学中的一个贯穿性的传统。元朝大戏剧家关汉卿，他的《赵盼儿风月救风尘》里的妓女赵盼儿，其侠肝义胆令人钦敬。到明朝小说里，"卖油郎独占花魁"，那"花魁"虽说是个妓女，却重爱情不重金钱地位；"杜十娘怒沉百宝箱"，那杜十娘不仅看重感情，而且勇于为自己的道德理念献身；至于玉堂春的故事，因为后来戏曲里表现得极为成功，无论是全本《玉堂春》还是折子戏《苏三起解》、《三堂会审》，竟都能让从毛泽东那样的革命家到一般的老百姓百看不厌。《水浒》里，有个阎婆惜，这女人可不怎么样，但从其文本推敲，阎婆惜实在只是宋江包的一个"二奶"，还不能确定为是一个妓女。《水浒》里清清楚楚写出妓女身份的，是李师师，而李师师不仅不坏，还很帮了梁山好汉们一些忙。《金瓶梅》里的妓女，虽也写到她们狡黠和贪财，但基本上也都不失其真率与善良，如李桂姐的形象。到清朝，《红楼梦》里写到一个妓女云儿，有一回同贾宝玉、薛蟠等在一起喝酒行令，那形象相当可爱。清代大戏剧家孔尚任的剧作《桃花扇》，里头的妓女几乎无一不善，她们不仅美丽、聪慧、富于同情心，而且在民族危亡的关头深明大义，其中女主角李香君更被塑造成完美无缺的爱国女性，到本世纪欧阳予倩据其改编为话剧，爽性把其中的男主人公侯朝宗写成"投敌叛国"的"败类"，而李香君是在怒斥其不保大节后愤而触阶而死，那就简直是一位巾帼英烈了！清末，又有人撰《圆圆曲》，对投降清军的叛将吴三桂大加挞伐，对妓女陈圆圆却充满同情与谅解。这种对嫖客往往加以批判而对妓女无保留地同情、理解乃至歌颂、赞扬的思路，一直继续到本世纪作家、艺术家们的创作里，如沈从文的某些描写湘西船妓的小说，吴永刚执导、阮玲玉主演的那部彪炳中国电影史的无声片《神女》（请注意所使用的符码——神女——其讴歌的激情达到了什么程度！），还有陈寅恪关于明末名妓柳如是的论著，老舍的《月牙儿》，以及曹禺的名剧《日出》——这出戏里所出现的妓女，无论是高级"交际花"陈白露还是低级妓女翠喜和"小东西"，都是被塑造成引动观众同情的角色的；当然，我们还可以想起许多作家，包括戏剧、电影、电视创作者一再塑造过的赛金花、小凤仙等名妓形象。甚至于九十年代的，很年轻的作家，也根据想象写出妓女嫖客情爱故事的《红粉》等作品，并被迅即搬上银幕，受到欢迎。最新的消息，是名导演谢晋要执导根据董竹君自传改编的电视连续剧，该剧的开篇一定会栩栩如生地表现女主人公是如何沦入娼门的，这样的出身不仅无损于其形象的可爱，而且还能大大增强其终成"女强人"的一生的传奇色彩。

关于中国作家、艺术家对妓女的同情、理解、赞美、歌颂的例子，还有很多。如果光是我们中国的作家、艺术家们如此，倒也罢了。往外国一想，首先是《茶花女》。根据法国小仲马这部小说改编的歌剧、电影，在我国广泛地上演过，除了"文革"那十年，《茶花女》总是被视为无可争议的鲜花。其实《茶花女》是一部典型的写嫖客妓女之间爱情的作品，这样的作品为什么能被人类广泛地接受，实在是个值得研究的问题。列夫·托尔斯泰的名著《复活》，里面的女主角玛丝洛娃也是妓女，她竟能使导致她沉沦的贵族男子聂赫留道夫最终皈依宗教。有些西方名著里的妓女不一定是一号角色，但作家在创作中简直是和着血泪来倾注对她们的同情，如法国文豪雨果在《悲惨世界》里塑造的芳汀；有的，如旧俄的陀思妥耶夫斯基，他在《白痴》里写到的娜斯塔霞和在《罪与罚》里写到的薇拉，竟都发射出人性中最璀璨的光彩，乃至起到唤醒其中男主人公灵魂苏醒的作用。英国萧伯纳的名剧《华伦夫人的职业》正面触及了社会应该怎样对待妓女出身这一敏感问题，以至引出过激烈的争论，但到由好莱坞拍摄出以"一战"为背景，伦敦一个女子沦为娼妓的、缠绵悱恻的爱情故事《魂断蓝桥》时，人们对角色的妓女身份已经完全不在乎了，在乎的只是情感的真实与深度。我还记得，中国的"文革"结束后，首批放映的外国影片中，就有日本的《望乡》，描写的是"二战"以前，一些日本穷苦家庭的姑娘，被骗卖到南洋为娼的故事，说实在的，后来日本发动"太平洋战争"，强迫别国妇女充当他们侵略军的"慰安妇"，无论在数量上还是惨烈度上，都远远超过这些"山打根八号妓院"的日本妇女，但当年这部电影，以及其据以改编的原作，和那位原作者——一位女作家，都在中国受到了非常热烈的欢迎……

了不得！仅仅如此这般粗粗地回忆，已在人类文学史和艺术史的画廊里，接二连三、层出不穷地涌现出了如许多的，正面的，或者说起码不是反面的妓女形象，竟远比我能随意回忆起的属于正面的，或者说起码不是反面的皇后、公主、贵妇的形象为多！

嗳，再仔细想想，有没有想得起来的，印象深刻的，作为反面人物刻画的妓女形象……想了半天，只想起来唐朝杜牧的两句诗："商女不知亡国恨，隔江犹唱后庭花。"且不说杜牧写过的歌颂妓女的诗句很多，就是这两句谴责妓女的吧，也仅是"有声无影"的模糊形象。

寻思到这里，不禁憬悟到，作为社会规范，法律上无论是取缔一切妓女，还是严格限定妓女的活动范围与方式（如荷兰等国），都是各有必要，应予支持、遵守的；而从道德上说，卖淫和嫖娼（即使是在我国旧社会和现在某些国家法律允许的范畴内）也都属于低级下流的行为；但文学艺术，却另有其特殊的，切入社会、参与人生、探究人性的角度，那倒不是说它要反法律，反社会规范，或者是反道德，而是从事文学艺术创作的人士，他们首先要着眼于这一点——妓女是社会的被侮辱与被损害者，也许有的妓女完全不能自觉地意识到这一点，甚至不排除有的女性是在非强迫的情况下，自己选择了出卖肉体以换取金钱和性快乐的，但无论中外古今，绝大多数妓女，她们是为生活所迫，才沦落风尘的；文学艺术在对这些妇女表达同情上，是责无旁贷的；而在最污秽的所在，挖掘出人性的芬芳，更是中外古今许多文学艺术家孜孜不倦的追求，并且也确实取得了相当丰沛的成果——我上面列举的便是绝非我一个人所能想到的，若干最耳熟能详的明显的例子——我不敢说所有的文学艺术必具有这样的内在本性，但我敢说，无论过去，还是将来，无论中国，还是外国，人类大多数的文学艺术家，他们的心灵，总是向被侮辱被损害者倾斜的，妓女仅是这里面的一小部分，其余部分里包括世界上的所有的穷人，以及所有不幸的人（包括富人里的不幸者）——文学艺术如果在被侮辱被损害者面前闭上眼睛，只热衷于讴歌富人、"成功人士"，一心想获得他们的青睐，那倒真成了一桩奇怪的事。

回过头来，再琢磨那位小我一轮的作家的取向，我也就"见怪不怪"了。我等待着读他在了解了眼下"风尘女子"的生存状态与内心世界后，所推出的力作。

1999 年秋绿叶居中

皇帝补裤子

　　道光皇帝平常穿湖绉制的裤子，有一回他裤腿上穿破了一块，不肯再做，命内务府拿去补上破处。这在他来说，当然是一种崇尚节俭的示范性行为。后来裤子补好送回来了，做工精细，看上去天衣无缝，道光皇帝甚为欣悦，顺便问到费银几何，答曰：三千两白银。道光皇帝听了大怒，严责穷究。怒是可以理解的，就算湖绉御裤非同一般，每条新裤的成本泼撒算去，值三十两银子吧，那这补裤费却相当于一百条新裤所费。但内务府官员却不慌不忙地解释道："皇上所穿裤腿，系属有花湖绉，剪过几百匹，鲜有花头恰合者，是以如是其贵。"道光皇帝听了也无可奈何。

　　这既不是正史上所载的内容，也非全凭想象的戏说，是清末民初一位叫何德刚的在他的《春明梦录》里记载的。中国的传统写作里，有一种体裁是笔记，从南北朝南朝刘宋时的刘义庆著《世说新语》，到晚清民初，笔记著作林林总总，蔚为大观，构成我们后世了解历史真相的重要参考系列。

　　皇帝要通过补裤提倡节俭，也未见得就是虚伪作秀。内务府费银三千两补裤，也未必是故意浪费起哄。双方存在于一个共同的价值体系与行为规范里头。即使明知皇帝补裤可能要比缝制新裤还要靡费，但皇帝的意志是不容抗辩的，何况补裤这一行为里所蕴涵的意识形态，是那么正宗堂皇，除了立即付诸实行，不能有别的选择。而费银三千两补好裤子后，一旦奏明原因，皇帝也只能息怒罢休。下属又没有把那三千两银子扛回家去，从几百匹花湖绉里精心择剪出符合需要的原料，取得天衣无缝的补缀效果，正说明他们的犬马忠心，这对于皇帝来说，实在远比显示节俭重要。倘若没有了奴才的犬马尽忠，失却了政权，就是全身穿上百衲衣，那节俭还有丝毫意义么？

何德刚没赶上道光皇帝在世的年头，上面的补裤掌故有道听途说之嫌。但他光绪三年考中进士，曾累任吏部司务厅掌印，后升侍郎，经常出入宫禁，数次得到慈禧太后和光绪皇帝召见，在京任职十九年，亲见亲闻的宫廷琐事极丰，而且他写《春明梦录》时，已是民国时期，一方面他没有了触犯朝廷的顾忌，敢于照实直录，另一方面他对亡清充满怀念之情，所以也没有什么"破鼓万人捶"的哗众笔墨，所以，他笔记中关于慈禧、光绪的掌故，可信度应该没有大的问题。

像我这一辈的人，倘不是专门治史的，对晚清历史，特别是对慈禧太后、光绪皇帝的认知，一是来自笼而统之的粗线条正史灌输，一是来自类似《清宫秘史》那样的戏说式野史。

慈禧太后在民国以后，无论正史还是野史里，大体都被派为反面教员。何德刚在京任职十九年后，被外放为苏州知府，在宫中得到慈禧和光绪召见，慈禧问话滔滔数百言，其中包括"福建民教情形"，"矿务能否发达"，并"追问当日拳乱，地方如何被扰，后来如何结束"，他一一奏对后，慈禧旋叹息曰："中国自海禁大开，交涉时常棘手。庚子之役，予误听人言，弄成今日局面，后悔无及。但当时大家竟言排外，闹出乱来。今则一味媚外，又未免太过了。时事艰难极矣，全赖大小臣工苦心对付，无过不及，才能挽此危局……"这个现场实录，我觉得比以往任何一种历史书上的概括评价，以及任何一部话剧戏曲电影和电视肥皂剧里的台词，都更能使我接近到一个活生生的慈禧。

光绪在"文革"前，无论正史还是稗史里，都是一个基本正面的人物，他锐意图新，感情丰富，却被慈禧压抑挟持，结果革新梦碎，情爱沉井，以悲剧性的遭际令人扼腕叹息。但"文革"中因一部香港电影《清宫秘史》，光绪也和慈禧一样被指斥为"卖国主义"人物，又据说刘少奇曾在中南海观看这部影片后，说影片是爱国主义的，光绪是爱国的，结果大错，是他"狼子野心"的大暴露，成为把他"打翻在地，再踏上一万只脚"的重要罪状之一。不过"文革"一过，对光绪的评价似乎又回到了原来的位置，在戏剧电影中出现的光绪，延续着舒适在《清宫秘史》里的那种造型与格调，一律属于"正派小生"。

在何德刚的笔记里，有若干条涉及光绪与经济问题的记载。有一回在书房，光绪同他的老师翁文恭闲聊，顺便问起："早起进内吃何点心？"翁对曰："每早吃三个果子。"果子即荷包蛋。光绪马上做出判断："师傅每早点心，要用九两银子了！"那时一两银子足能买下一大篓鸡蛋，可是御膳房报账，一个鸡蛋例报一两银子，光绪从未怀疑过。虽说慈禧早年生于寒门，"民间琐事，无不周知"，但自从进宫后，永无亲自去市场买东西的行为，也就跟从来都是娇生惯养的光绪一样，失却了对民间经济活动的真切了解，内府外官一气瞒蔽，积重难返，他们却信以为真，以那样的报价为依据，旰食宵衣地勤政操劳，想想实在可笑。何德刚还记下这样一件事：内务府郎中庆宽伺候慈宫，颇见信用。有一日，光绪因慈寿要送礼，让庆宽出主意，庆宽说最好给老佛爷打造个金手镯，光绪首肯后，庆宽拿了四个金镯式样呈进慈禧，慈禧见了说："我四个都要。"庆宽回报光绪，光绪问："四个手镯得花多少钱？"回曰："值四万。"光绪本能地惊呼："岂不是要抄我家了！"原来，光绪的私蓄正好四万，存在后门钱铺生息呢。如果把这条非常可信的掌故搬上戏曲舞台，慈禧与光绪都可以鼻梁上抹白丑扮。但光绪给慈禧送寿礼，也得自己掏腰包，而并不能"公费报销"；并且他也要把私房钱搁到民间钱庄里去吃利息，以扩大私人财富——这都颇值得玩味。

一种流行的论点，是中国的事情长期搞不好，是因为没有，或疏于法制。且不说像《十五贯》那样的戏曲故事曾经被周恩来总理带头引为新中国的法制借镜，就是清末杨乃武与小白菜的冤案终得平反一事，也说明法制是有的，真的实行起来，有根有据，有板有眼，何尝混沌模糊。何德刚在《春明梦录》里说："余曾读（吏部）处分则例，及《大清律》，初读第一条，便掩卷思之曰：'这样情节，如此处置，若犯那样情节，又当如何处置？'旋读第二条，而那样情节，便有处置之法。紧接而来，丝丝入扣，毫发不爽。可见当日字斟句酌，煞费删定，非仅一二人起草之功也。"又讲到他奉旨到吉林查办事件，他的提携者谆谆嘱咐："此役两面受敌，颇不易恰好，但有一语相告，汝需牢记：凡办案必须脚踏实地，奏折中字字要有来历，不可以意为之，倘后来翻案，方站得住。"可见法制伦理也存在，并有一些信守者。

已故历史学家黄仁宇先生根据他的"大历史观"，则认为中国的事情长期搞不好，是始终没能进入"数字化管理"。何德刚曾奉旨随查京城十库，其中三个是银库，根据他的记载，弊情虽多，但管理上还是相当"量化"的。他又曾几次负责大型工程，我们今天所看到的天坛祈年殿，就是因遭回禄而由他监工重修的，若无"数字化管理"，怎么建造得出那样精致美丽的殿堂？

要说市场经济，清末起码在卖官鬻爵上，是相当地发达，而且往往明码实价，十分地"数字化"的。跟光绪如影相随的珍妃，在电影《清宫秘史》里由著名影星周璇给定了型，不仅正面，而且其悲惨命运十分夺人的同情之泪。但在全国政协文史资料研究委员会所编的《文史资料选辑》第九十二辑里，有一篇商衍瀛的《珍妃其人》，虽非正史，亦无戏说，也属于严肃的笔记文章，他提供的材料，在光绪专宠珍妃这一点上，与我们耳熟能详的说法并无二致，但珍妃何以后来被打入冷宫呢？兹引有关文字如下：

清制内廷经费……皇后每年例银一千两，递减至妃每年三百两……珍妃用度不足，而又不能节省，亏空日多，遂不能不想生财的门路，以应付常年的不足，此所以有联合太监，向外卖官的举动。……珍妃由其胞兄志锐主谋，串通奏事处太监拉官纤，将月华门南的奏事处作为机关。奏事处是太监与内外官员的传达处……珍妃住景仁宫，景仁宫首领太监亦在其列。所得的钱，以一部分供珍妃，余由各人分肥。珍妃蒙混请求光绪帝，私卖官爵，日渐彰闻。甚至卖到上海道鲁伯阳，更为舆论所指摘。又卖至四川盐法道玉铭，于召见奏对时，光绪问以在那衙门当差，对以在木厂；光绪骇然，命将履历写出，久久不能成字。此事在光绪二十年甲午四月间……太后据所闻，切责光绪……将珍妃交皇后严加管束，幽禁于宫内西二长街百子门内牢院，命太监首领看管，从此与光绪隔绝，不能见面。据此，珍妃于甲午十月幽闭，据戊戌尚有四年，外闻传说因赞助新政而被罪的话，证诸史实，毫无其事，不辩自明。

　　商先生的文章很扫我的兴，可是凝神细想，恐怕他说的确是真情实况。历史的
真面目往往毫无浪漫气息，琐屑乏味，而且丑陋，乃至狰狞。

　　正史、戏说、笔记掌故，三者中，我最喜欢读的，是文史笔记。从《世说新语》
到《春明梦录》到如今的《文史资料选辑》，从中我可以窥见历史人物的复杂性多面性，
他们的真性情，以及那些超出抽象归纳的，活生生的生存状态；尤其能引发出我对人
性的深度追问。

2000 年 4 月 11 日温榆斋

关于歌德

1

1999 年是德国大文豪歌德诞生 250 年的"整日子",德国是不消说了,世界上许多国家都有纪念活动,我们中国也搞了相当规模的纪念活动,歌德作品的若干中译本也隆重再版。

我想问一声:是哪位中国翻译家,率先将 Goethe 译为"歌德"的?为什么不采用"哥德"或"戈德"的译法?我们都知道,西欧有一种古典建筑,我们通译为"哥特式建筑",而不是"歌德式建筑",其实那发音很接近。

因为是译作"歌德",所以有位年轻人跑来问我:"这位德国老前辈作家是不是特别地会歌功颂德?"我不是研究歌德的专家,而且连汉译的歌德作品也读得不多,无法回答这个问题。

但我大体上知道,这位歌德老前辈,他的命特别地好。他出生在小康以上的家庭。1984 年,我曾到当时的西德访问,在法兰克福参观过他的故居,那座建筑物及其庭院或许难称豪宅,但也相当地宽敞幽雅,记得我还在其花园中的小喷水池前拍过"到此一游"照。歌德十几岁就离家到德国东部上学。那似乎并非是因为家道中落,他从小就没受过苦,而且后来的社会地位与物质生活堪称"芝麻开花节节高",二十多岁后,他成为魏玛公国的官员,后来更荣登相当于大臣的位置。他一生顺顺遂遂,

藤 萝 花 饼

国君（魏玛公爵）、同僚以及民众似乎都没怎么难为过他，他极有艳福，养尊处优，以八十三岁的高寿而终，被隆重地埋葬在魏玛。

中国有句古话，叫"文章憎命达"，似已成为了一条不容颠扑的"公理"，但命达的歌德却偏写出了流传于全世界的浩荡文章，这真令人羡慕，甚至嫉妒。

歌德不仅是伟大的文学家，著有等身的诗歌、小说、剧本、散文、文艺理论，而且他还是画家、剧院经理、新闻记者、教育家和自然哲学家。他的成就是多方面的。他是人类历史上有数的，可以说是得以尽兴释放出了全部才华的大文豪。

2

中国还有句古话，叫"魑魅喜人过"，我理解这里所说的"魑魅"并非什么具体的魔鬼，而是所谓"险恶的人心"。中国古诗里还有"身后是非谁管得"的说法。事实也确实如此。有的人尽管生前备极荣耀，死后却引出争议，甚至被人诟病，乃至唾弃——倘仅是被淡忘，那还算较幸运者。歌德呢？似乎连"魑魅"也不怎么挑他的过错。对他，人类基本上都是一直在说好话，起码是好话居多。对他的评价，从来很高，至今不见"掉价"。

当然，"歌德"么，这个译名的用意，我想至少潜意识里，是将他定位于了"御用文人"。他确是一位魏玛朝廷里的御用文人。凡"御用"必糟糕么？未必，像我们中国唐朝的李白，他被"御用"时所写的《清平调词三首》，难道不是至美的绝唱么？歌德的鸿篇巨制《浮世德》就完成在"御用"期里，但他这部伟著并不"颂圣"，而是深刻地探索了人性的奥秘。

歌德不是"革命作家"而是"统治阶级的御用文人"，倘给他定阶级成分，那恐怕要定得比"御用文人"更严厉，他根本就是个"反动官僚"。但这并没有使他遭到历代革命者们的唾骂。我1985年参观歌德故居时，也曾想到他的墓地献上一束鲜花，但他的墓地在魏玛，而那时德国尚未统一，我只得到西德的邀请和签证，没有东德的邀请和签证，无法去位于东德境内的魏玛在他墓碑前献花。不过，尽管那时候东、西德在政治和意识形态上严重对立，以至东德有修砌"柏林墙"之举，但对歌德，墙两边的德国人,从政治家到普通老百姓,一样地尊他为圣人,在东德治下的魏玛,歌德的居所、墓地、雕像、档案馆,都得到了精心的保护。据说"二战"时魏玛遭到过联军的猛烈轰炸,许多建筑物都被炸成一片废墟,但轰炸时却也命令飞行员特别地避开有关歌德的古迹。

有趣的是,有人注意到,即使在中国的"文化大革命"期间,许多的中外古今的文豪都遭到了严厉批判,所谓"钉到历史的耻辱柱上",但对歌德,却几乎可以说是"秋毫无犯",那恐怕是因为,用德文写作的马克思、恩格斯,在他们的著作里经常引用同胞前辈歌德的名言警句,虽然他们二位是最具批判性的论家,对歌德也少不了必要的批判,但总体而言,是高评价、大赞佩。比歌德晚生十年,又早逝二十几年的席勒(为何当年不译作"喜乐",以与"歌德"匹配?),是歌德的忘年交,那可是个苦命的人儿,出身成分极好,社会经历和写作遭际都十分坎坷,作品如《强盗》、《阴谋与爱情》,一看那题目就充满了革命性,又是后来被贝多芬用在第九交响乐最末一章谱曲的诗歌《欢乐颂》的作者,可是恩格斯在评价他的创作时,却嫌他太直奔主题,并不因为他的不"御用"和反抗性而把他置于歌德之上;虽说歌德、席勒常被人们并举,歌德的成就总是被列在前面,且少有嫌其艺术性逊色的。歌德在文学史乃至人类文化史上,赢了个"大满贯"。

3

童年的不幸,少年时代的家道中落,青壮年时期的家国之艰,以及伴随终身的坎坷挫磨,都是作家的宝贵生命体验、创作的源泉和动力,"苦难出作家","文章憎命达","走出象牙塔","深入生活","行万里路,破万卷书"……这是我们重复过很久并一再伸引的"公理",已成为"写作需知"的ABC。

"公理"要尊重,ABC不能忘怀。但世界之大,现象之多,特别是人类历史之久,具体情况的千差万别,使得我们懂得,"公理"的概括力也有限,ABC之外也至少还有另外二十三种情况存在。250年后回望歌德,他童年幸福,少年得志,青年成名,壮年顺遂,老当益壮,甚至在高龄时还有艳遇激情;他二十六岁后一直定居魏玛直到逝世，之前之后其足迹似也只延伸到过法国和意大利，书读得或许还不少，却难称行了万里路；他恐怕是深入生活有限，而静坐冥思极多，他的优势恐怕不在"为时代写照"上，而在探索自我和人类灵魂深处的情愫奥秘时很细很深很生动很得心应手；他的许多作品，可以说是坐在象牙塔里写的，而且写得如同象牙雕刻般玲珑剔透，而又有大象般的雍容，以及大象在大林莽中奔跑的宏大气派。

歌德告诉我们，文学要直面灵魂。《少年维特的烦恼》故事多么简单，然而那对青春期情爱心理的深入探索，其文字冲击力所达到的震撼度，至今少有人能望其项背。歌德又告诉我们，文学可以把心灵想象的空间展拓到何等辉煌壮美的境界，《浮士德》便是其昭示于人类的扛鼎之作。歌德告诉我们的，也是"公理"，也是 ABC。

4

我不太清楚当年的魏玛公爵是怎么对待歌德的"业余创作"的，或许容许他自由自在地创作也便是魏玛公爵的一种乐趣？他领导歌德的创作吗？或者,不用"领导"这个词儿，而另用"指导"、"引导"一类的词儿？他干预过歌德的创作吗？起码是，绝没有"横加干涉"吧？他听取过《浮士德》写作提纲的汇报吗？审查过原稿，提出过修改意见吗？我想，人类有了歌德，有了歌德留下来的那么多内容醇厚形式优美的作品，魏玛公爵是多少有份功劳的吧？或许，该对他颁发一个"不干预奖"。而且，从某种角度说，他对歌德实行"养起来"、"由他去"的政策，相当于是一种对有才能的人的变相"赞助"吧？

总之，我觉得歌德的福气是，他赶上了一个相对平静的历史阶段，一个相对宽松的创作环境，他不必"代圣贤立言"，更不必有"著书都为稻粱谋"的焦虑，他就是安下心来写自己想写的东西，他其实也并没怎么"歌功颂德"，当然，也并不去搞"过把瘾"式的粗鄙"缺德（暴露）"，他追求尽可能深刻的人性探索，尽可能完美的文本形式，他真是做到了"泱泱海阔凭鱼跃，朗朗高空任鸟飞"，驰骋在艺术的宇宙中，得大自在、大悲欣！唉，唉，歌德呀歌德，我们几身修得到此？

1999 年 9 月 12 日绿叶居

研讨会发言必须限时

我们的文学研讨会弊病很多，其中最突出的是发言不限时，往往是，一个人发起言来，动不动就半个钟头，甚或更多。头一句话，多半是"我说两句"，结果哪里是两句，能在二百句上打住的都不多，说上一千句的不算稀罕。一个上午，三四个，至多四五个发言，就填得满满的，有时一整天算下来，发言的也不足十个人。

我到境外参加研讨会，对那研讨会的游戏规则里，发言限时这一条，最为欣赏。一般是，正式的发言，限一刻钟。会议设置计时揿铃人，到第十三分钟时，揿短铃警告，到满一刻钟时，揿长铃令其终止。虽然有时那发言者意犹未尽，强行延续，主持者打断时有不忍之心，容忍其"赖"上几分钟，但冒会议规则之大不韪，竟把自己发言延长到二十分钟以上的，我还没目睹到一例。一般是，一小时里，总能保证三个以上的发言，主持者在发言者发言前，介绍一下发言者情况，并报出其发言题目，起"串场"作用，加起来，大概也就五分钟的样子。有时三四个发言后，立即展开质询式讨论，但现场的人士，若提问，只限一人一次一问，而发过言的人作答，则限一问回答至多五分钟，这样的讨论控制在半小时内；一般一个上午或下午，刨去短休时间，每一单元若是三个半小时，则可有十多个与会者获得发言机会，一个小时左右的讨论；整天算下来，则容纳二十多个发言，丝毫不成问题，并且现场的听众还至少有约两小时的直接介入机会，会议的信息量大，交流性强，启发性足，总体质量自然也就有所保证。可是，我在境内参加研讨会，还没有一回，是对发言限时的。

也许有人会说，我这是"崇外"。境外好的"游戏规则"，为什么不可以"崇"？我不仅欣赏、崇尚，而且主张模仿和完全照搬。

我们的研讨会发言不限时，一个原因，是文坛也即官场，所有职务、职称都是可以折合为行政级别的，按"官本位"排列发言次序，可谓一大特色，现场级别最高的官，有时会最后再恭请其作总结性发言，其余的，则大体依官帽大小，一一被"恳请"指导，但他们往往又偏要互相谦让，弄得又耗费了若干时间。这些文化官僚发言，又往往以"很抱歉，没有准备"作为"开场白"，你没准备发什么言？他却多半滔滔不绝，离题万里，牵强附会，言不及意，空话连篇，而我们的与会者，多半是只好忍耐。最奇怪的是，这些文化官僚往往还以"还有一个会要去"之类的理由，发完言便拍屁股上小轿车走人，而主持者又往往要追送出去，使会议停顿几分钟；请问，这哪里是研讨？对这种"文化怪现象"，我们究竟还打算忍耐多久？

除了"官本位"，我们的尊老，恐怕也是无与伦比的，主持者多半按"齿序"邀请发言，只有当被邀请者真是推辞时，才顺延到下一位"长者"；当然有时又不完全按"齿序"，而是按"资历"来一恳请开金口、定调子。某些资深长者可能确有某些不俗的见解，却又毫无时间概念，或慢条斯理，或车轱辘话来回重复，不知午之将至或夜之将临，待其兴尽时，别人几乎已无置喙的可能了。我们的《红楼梦》里早有"世法平等"的提法，甚至在"文革"乍起时，还有"在真理面前人人平等"的呼吁，为什么直到如今眼眉下，马上要进入二十一世纪了，我们的文学研讨会，还要遵循论资排辈这样陈腐的"会议伦理"？

境外的月亮当然不比中国的圆，但境外的研讨会早已形成的"游戏规则"，以我多次经历的而言，就是比我们的圆满。今年春天去新加坡参加"人与大自然——环境文学国际研讨会"，与会者有从美国来的，德高望重的周策纵老先生，会上有许多在威斯康辛大学跟他从过学的徒子徒孙，他们都称他"周公"，主持这个研讨会的王润华博士更是他的得意门生，但轮到周公发言，也限时一刻钟，那天周公发言的题目很大，是谈中国文化里"自然"一语的内涵，他虽尽量言简意赅，却尚未论及一半，已铃声两响，王润华虽满面谦恭的微笑，却坚定地终止恩师的发言，建议与会者去领取周公论文打印件阅读，绝不为身为硕儒尊长的周公"破格延时"，而周公虽大表遗憾，亦乖乖让位于下一位发言者；这当然是境外研讨会的平常场面，但对比于我们的"不成方圆"，其文明习俗确实令人肃然起敬。

我们的研讨会倘无凸出的官儿或老前辈出席，则又往往在主持人宣布开会后，冷场良久，最长可达一刻钟以上。为什么主持人不事先了解一下与会者的发言打算，排定一下顺序呢？若一进会场便各人领到一份发言顺序单，或一开会即由主持人口头宣布一下发言顺序，岂不大家都方便省时？我们的研讨，又似乎每一位发言者都力求"全面评价"，这也是一开口发言便半小时以上的原因之一，干吗都要"全面"？每位"片面"一下，整合起来形成缤纷的"面面观"，岂不更好？

当然我们的研讨会也会出现颇为精彩的发言，不过由于不限时，发言者一挥洒起来，那就如春江放水，奔泻不停，动辄四十分钟一小时，弄得有些像在阶梯教室里上大课，结果也失却了研讨会那"百家争鸣"的意趣。

我这人虽然性格属于孤僻型，不合群，尤其难合"大拨轰"的场面与阵仗，但我却也并不想完全地离群索居，没有"众人皆浊我独清"的情怀。我不完全拒绝研讨会的邀请。我知道，时下的很多研讨会，实际是广告促销会，为的是"推书"；或为争取某个奖项；这里有文学界和出版界的无奈，不好多所责备。我不也盼着自己的"拙著"多销几册吗？研讨会形式，其实在"炒作"诸招中，还是最憨厚的一招。但因为是这样的动机，事不宜迟，一部很厚的著作，才送达被邀请与会的人士几天，或至多一周，研讨会便隆重召开，那弊病自然就接二连三。与会者里，精读者凤毛麟角，甚或一个没有，通读者寥寥，翻了一翻的占了大多数，而直到坐在会场上，才开始翻阅的，也大有人在，也有简直开完会也还没翻，并且永远不会去翻的人士，很随和地来与会，并且在主持者一再邀请下，"盛情难却"，也发一番言，倘兴之所至，也会占用二三十分钟，祝贺呀，勉励呀，由此联想开去，中外古今，现代后现代，居然顺理成章，妙趣横生，博得笑声，赢得尊重，那样的情况，也是有的。我非圣贤，何能责人，对于这些情况，我并不怎么痛心疾首。甚至于，在我来说，应邀到会的心理，亦难免俗，是觉得可以借此机会，同想见到的朋友、熟人一晤，特别是在连带的饭局上，

藤萝花饼

得以"物以类聚、人以群分",凑到一桌,胡乱侃谈,诚为快事。其实境外的某些研讨会,也有类似的"色彩"。人既称类,可见人性深处的某些不那么美不那么香的因素,原是处处皆有的。不过,不管怎么说,还是别太出格,最基本的研讨会规则,如发言者事先报一个题目,发言限时,会上安排一定的讨论时间,讨论中提问有数量限制、回答有时间限制,等等,还是需要厘定、实施的,这是一种最基本的会议文明,就仿佛不要随地大小便和吐痰一样,倘连这几条,特别是发言限时这一条都做不到,毋乃蒙昧乎?

我将不再参加发言不限时的研讨会。我的生命有限。我希望在有限的时间段落里,尽可能多获得些信息,多听见些声音,多参与些争议,而最根本的是,我希望自己能置身在一种具有基本"会议卫生"的,文明的氛围里。

我会因此遭到鄙弃——"谁稀罕你参加?!"还是会被某个文学研讨会,邀去充任发言限时的揿铃人呢?

不能再以"牛鬼蛇神"称人

牛鬼蛇神，语出唐朝杜牧，他是用以评论李贺的诗，认为用这样的四个字，仍"不足为其虚荒诞幻"；究竟何谓牛鬼蛇神？是指"牛鬼"和"蛇神"这两种怪物，还是指李贺的诗风好比把牛、鬼、蛇、神四种本不搭界的事物叠加在了一起，因而"虚荒诞幻"？不管怎么解释，牛鬼蛇神这四个字本是诗人评诗的专用语，随便引伸到社会生活的广阔领域，尤其是引伸到政治领域，那可真是贻害无穷。

更远不去说了，"文化大革命"当中，《人民日报》先是发表了《革命的大字报是暴露一切牛鬼蛇神的照妖镜》的社论，紧跟着又来了一篇《横扫一切牛鬼蛇神》，牛鬼蛇神这四个字被充分地政治化、泛化、强化，得到大普及、大推广、大泛滥，凡从那时代活过来的人一定都记忆犹新，甚至铭心刻骨，把人不当人的现象在中国大陆顿时成为一种风尚！手边正好有一册刚收到的《当代》杂志 1998 年第六期，其中有罗瑞卿女儿点点的回忆录，她在"文革"初起时是北京师大女附中的学生，据她回忆，由于她自己的父亲成了"黑帮"，所以"革命"不能争先，等她和另外三个女学生也拉起一个"战斗队"时，"我发现，我们实际上已经没有什么机会再闹革命，因为我们的革命对象，学校的党委书记、校长卞仲云，被我们，她的学生们活活打死了。""后来，我又见一群我的女同学，大约都是红五类的后代，把师大女附中的两个特级教师绑在一起打。这两个人为了献身教育，终身未嫁……我看见这两个人在女学生的皮鞭和棍棒下面无人色。她们的细皮嫩肉很快开了花，鲜红的血从苍白的皮肤流出……两个老处女中较年轻的一个叫张玉寿，她的嘴巴一张一合，像条快干死的鱼……""又过了几天，我又看见也许是同一群女学生，也许不是，把另一个副校长胡玉涛的头发剪成阴阳头，从头到脚倒上一桶糨糊，又倒上一桶墨汁……"那时全国不知有多少人被打入了"牛棚"，被逼着"唱""我是牛鬼蛇神"的"鬼嚎歌"，真是不复人间景象！现在过来人回忆这些事，未经历者听取这些事，都应达成一个共识：再不能让这类事情重演！并且，应当痛下决心，首先做到——不以"牛鬼蛇神"称人！

　　人类的构成，确实复杂，有不同的阶级、阶层，不同社会群体之间的利益会发生冲突，个体与个体之间更是千差万别，人际冲突势不可免，由之会形成战争，发生革命，乃至在整个社会基本安定的前提下，个体间有时也会发生有时甚至是颇为激烈的龃龉摩擦，但不管人与人之间怎么冲突，人要把人当成人对待，比如本世纪初，俄国发生"十月革命"，把此前已然下台的沙皇一家，包括未成年的子女，未经正式审判便统统仓促枪杀，事隔八十多年，现在俄罗斯将其遗骨重新收集，隆重移葬，就体现出一种应有的理性，恐怕赞成的世人居多，而反对的世人较少——这并不等于说沙皇就不是一个暴君，当时的革命没有其必然性；问题是，我们必须懂得，暴君也是人，打倒他，但对已经打倒并丧失了反抗能力的暴君，也应把他当做人待！政治斗争中的敌人，要把其当人待；那么，我们在社会生活中更多遇到的是刑事犯罪分子，比如杀人犯，毒贩子，强盗，窃贼，贪污犯，诈骗犯，强奸犯……难道也要把他们当人对待么？答案是肯定的。我们有种种法律，对违法者，根据事实，按照程序，将其绳之以法，包括宣判死刑，都正体现着把他们当做人的原则。难道对有的屡教不改、罪大恶极的"人渣"，也不能称之为牛鬼蛇神，也不能在基于义愤鄙弃的前提下，对之以野兽，以畜生对待么？我的答案也是肯定的。倘是那样的家伙正在作案，或作案后在逃，为将其捕获，以便绳之以法，对其施以必要的暴力，当然是必要的，但一旦擒获，则即使真是"人渣"，也不能进行侮辱、拷打，更不能对之施以私刑。

　　文章写到这里，正好有朋友来，见我上面所写，惊呼道：你怎么为坏人说话啊！现在我为回应他，也为进一步申明我的理念，更要强调：坏人也是人，好人制伏坏人，应当理直气壮，但应以法制之，也就是一定要将其当人对待！允许坏人申辩，允许坏人请律师，允许坏人上诉，允许有死罪的坏人在人格不受侮辱的状态下结束生命。说实在的，倘若坏人不能得到人的待遇，那么，我们好人的权益也很难得到保障，在以往"以阶级斗争为纲"的年代里，因为先被判定为坏人，紧接着被开除"人籍"，被划为"牛鬼蛇神"，冤屈了多少好人！像上面所引，那些"红卫兵"她们为什么那样痛打校长、教师？因为那时她们觉得校长、教师贯彻执行了"万恶的资产阶级、修正主义的教育路线"，她们是满怀无产阶级的革命义愤，以神圣的"捍卫无产阶级革命路线"的名义，"横扫一切牛鬼蛇神"，既然那些被判定为牛鬼蛇神的校长、教师已经不是人，她们的所作所为又有何不妥呢？当然现在的局面大不一样了，像那样思维、那样行事的"红卫兵"已然成为了历史回忆中似乎是不可思议的一群，但其潜在的遗毒并未彻底肃清；而且，现在虽说法制初成，但抛开司法腐败现象不论，任是再好的法律，再好的清官，有时也还是难免错把好人判断为坏人，或将轻罪判为重罪，所以，讲人权，讲法制，就要把人当人，而且首先要保障"罪人"的权利！什么时候绝大多数中国人都懂得了这个至为朴素的真理，什么时候才可以说："文革"中如罗点点所述，如季羡林老《牛棚杂记》所载的那种民族悲剧，是确确实实不会重演了！

查《现代汉语词典》修订本 933 页，有"牛鬼蛇神"词条，释曰："奇形怪状的鬼神。比喻社会上的丑恶事物和形形色色的坏人。"读来心情沉重。杜牧地下有之，当年或许不会杜撰此词！我建议，今后再版时，在释语第二句前加上"曾用来"三个字。我呼吁：从今以后，不能再以"牛鬼蛇神"称人！

青春的眉眼

我在北京一条僻静的小街上住过八年，那条街上没几个院门，我们那个小杂院在尽南头，门总是敞着；北边有个总是紧闭着的小院门，很不显眼，但当我知道写《青春之歌》的作家杨沫就住在里面以后，每当走过那小院门时，就觉得非常地神秘。偶尔也会遇上那院门打开，走出人来，但很少是杨沫本人。直到改革开放以后，有一天，我才在那小街上把杨沫看清楚。先是开来一辆小轿车，我眼尖，车子掠过时，隔着车窗便瞥见了她，跟我看到过的新闻照片里的形象完全契合，于是我就站住不动，等着车子停下后，她出来时，好看个一清二楚。车子停在她家门外，咦，怎么出来了两个杨沫？细看，仿佛从一个模子倒出来的，只是一个更胖些，脸庞更大些，眉眼稍微粗糙些……另一个，呀，那不是电影明星白杨吗？后来知道，杨沫跟白杨是亲姐妹，怪不得！

但是，很快地，那以后我很幸运地进入了文坛，并且成为北京市的专业作家，跟杨沫成了同事，开会常常坐在一起，觉得她蔼然可亲，善待晚辈，但神秘感也就随之消失。

不过，《青春之歌》是我青春记忆里最鲜明的事物之一，虽然那是小说，但也相信大体是根据杨沫本人的若干生命体验，再加虚构写成的，因此，小说里的主要人物，必有原型，而余永泽的原型究竟是谁呢？我成为专业作家以后，依然也还心存好奇。十多年前，忽然有黑龙江人民出版社出版的一本《负暄闲话》在书店里屡售屡尽，而且还上了书摊，那时候媒体对书籍不像这几年这么刻意炒作，像我去买这本书，就不是因为受了媒体鼓动，而是因为有口碑相传。"负暄"这个词儿按说相当生僻，我若不是熟悉《红楼梦》里贾珍负暄的情节，恐怕也得去查字典才能懂得是冬天晒太阳的意思。《负暄闲话》以及后来所出的续话，内容且不评说，那文风相当地个性化，读来真有暖酥酥的感觉。于是记住了作者张中行。一次有个年轻的编辑来约稿，提起此人，他告诉我："他就是余永泽的原型。小说为了典型化，把余永泽写成越来越坏，其实张中行一生清白，解放后一直从事中学语文教材的编选工作，'文革'期间，杨沫也受冲击，'造反派'去找张中行揭发，本以为他一定借机报复，谁知他一再申明：那时候杨沫是革命的，他是没去革命的。后来杨沫听说了这情况也很感动。"又说电影里之所以请于是之扮演余永泽，因为形象极为接近，包括单眼皮小眼睛，也是因素之一。

那以后不久，忽有小伙子名靳飞者来请我参加他与日本女士喜结连理的典礼，说证婚人请的是张中行，我一听非常高兴，心想这下能见到"余永泽"了，头脑里便浮现出电影里于是之的那眉眼神态来。到了那天，婚礼上一见，我不禁大吃一惊，张中行个头诚然顾长，做派却绝非电影里那个姓余的那么儒雅矜持，他戴一顶法兰西帽，言谈极欢，肢体语言幅度很大，很难相信已是古来稀的年龄；更有意思的是，他原来确实是于是之那样的单眼皮，却刚刚兴致勃勃地去拉了双眼皮，望去分明是一副充溢着顽童般笑意的青春眉眼！

再后，我的祖籍四川安岳县为发展旅游事业，盖了个安岳饭店，想请启功先生题字，县里领导找到我，非要我完成这个任务，真叫我一筹莫展。多亏靳飞替我求了张老，张老再转求启功，竟由靳飞送来了大书法家的真迹！我忙把县里留作润笔的几瓶五粮液交给靳飞，请他再转由张老送达启功先生。几天后我问靳飞，酒送达了没有？他学着张老顽皮的表情说："给他干什么？他根本不会喝酒！我留下，要喝个痛快！"噫，有趣如此，"余永泽"岂能望其项背？

去年电视里有连续剧《青春之歌》出现，余永泽的形象被正面化了，有人告诉张老，据说他笑道："何必？"真的没必要，小说归小说，角色归角色，而真实的生命，那青春的眉眼是难以描摹的。

烟后吐真言

平日与从维熙常通电话，言谈极欢，可是有时候在饭局碰上他，我却避之不及，那原因很简单——他总免不了一支一支地抽烟。我这人无"烟史"，不属于"烟民"，倒也并不是个热烈的"禁烟派"，我只是从报刊上看那样说法的文章多了：被动吸烟者患上肺癌的，往往比"烟民"的比例还要高；我这人生活中因被动而尴尬的情形已经不少，怎能再因被动吸烟而"英勇捐躯"？我不干预他人吸烟，也盼他人莫令我被动吸烟。

1999 年 3 月，新加坡的"人与大自然——环境文学国际研讨会"，主办方也邀请了维熙，可是他想来想去，还是没有去。他在电话里告诉我，新加坡可是个禁烟甚厉的地方，而且峻法严刑，马虎不得的，以他那难以改变的吸烟习惯，如果去了一旦禁忍不住惹出麻烦，主客两方都会败兴，爽性放弃算了。我去出席了那个研讨会。不仅会场上绝对不能吸烟，会场外也不是任何空间里都可以吸烟，公众场所如飞机场候机厅、花园绿地等处更是难觅特许吸烟的小区域，维熙知难而退，也算主客两便罢。

读过维熙那些沉甸甸的作品，也就不难理解，他何以那般嗜烟如命。在那些艰难岁月里，往往肚皮都填不饱，更遑论水果零食，能有支劣质烟尽情地吮吸一阵，便是莫大的享受了。

但这似乎也并非"习惯成自然"就能解释得了的。维熙不但不以吸烟为陋习，反以其吸烟的风采为美。杂志的封面上刊出了他大幅特写，他很得意，打电话问我："怎么样？有没有味道？"我故意气他："满纸烟气，熏得慌！"又说："我还能认出你，那些崇拜你却无缘见真佛的读者，这下更糊涂了——从维熙究竟什么模样儿啊？"他却极为自信地说："他们喜欢的就是这模样！"倒也是，八十年代初，他随中国作家代表团出访澳大利亚，在一次露天派对中，几位澳洲美女，偏去围上了吸烟的他，赞他既阳刚又优雅，魅力十足。此事倒也非他自吹自擂，有当时在场的中国同行与记者为证。维熙出他的文集，自己设计封面，选用的也是一张吸烟的照片，是站在草地上吸烟，缕缕烟云从他右手飘出，仿佛助他回顾自己坎坷而刚直的一生。

八十年代初，维熙那一辈的文友，常不弃我"文龄"短促见少识浅，邀我一起聚会。我那时也就把他们每一位都视为兄长净友，言谈无忌，还爱听谀词浮语。记得有一回，聚后大家散去，维熙跟我同乘无轨电车回各自的家，车上虽不算挤，但我们也没座位，就站在了车后售票员的柜台前；车厢里光线很暗，我正倚在那儿回想聚会时的欢声笑语，忽然，维熙伸出他的右手，拉住我的右手，语气郑重地说："心武，我得告诉你，×××是靠不住的……大家都好的时候，他对你能比谁都显得更好……我是吃过亏的……你要小心！"我吃了一大惊，莫是维熙喝醉了？但他两眼炯炯闪光，绝不蒙眬；嘴里也没喷出酒气，只有一股香烟的气息，从他身上氤氲而出……

那晚电车上维熙的肺腑之言，令我心动一时，却并未令我时时牢记，结果，几年后，冷不防，不幸让维熙言中，我吃了一大亏！好在世道仍是改革开放的大趋势，蛇咬一口，有药能解，我也还能活蹦乱跳。维熙那晚的忠言，我要感念一世，如非睿智慧直之士，焉能如此料事、那般待我。

现在细想，维熙的吸烟，于他实在有着更深的意义。他原来习惯于一手持烟一手执笔，如今他用电脑写作，间隙里也总要燃烟慢吸……他，真是一条烟后吐真言的汉子啊！

醉眼不朦胧

我认识汪曾祺的时候，他还并不到花甲，但容貌却十足地使我觉得老气横秋，背已微驼，头上毛发稀疏，牙齿也已经七零八落。我头一回见到他，是在粉碎了"四人帮"后，在林斤澜家中，那时知道他是京剧样板戏《沙家浜》的剧本执笔，身份是北京京剧院的编剧，在单位里处境似乎不是太好，谈话间，他绝不提文学艺术方面的事儿，但说到烹饪什么的，却既内行，又生动。倒是林大哥有劝他写小说的话，他也不接那话茬儿。

那时候，我算是北京市文联的专业作家，有一天去单位，路过《北京文学》编辑部，只见也是老气横秋的李清泉坐在那儿，手里举着份什么稿子，就着窗外射进的阳光，两眼透过瓶子底般的眼镜，嗫着嘴唇，在那里审读，觉得他那姿势神态非常地可乐。老李 1957 年以前曾是《人民文学》杂志的编辑部主任，粉碎"四人帮"后到《北京文学》主持编务，真是把憋了二十多年的劲头全铆上去了。过了些天，我跟几位文友模仿起老李看稿的痴迷样儿，他们都笑软了；但同时就有人正告我："知道吗？他签发了一篇有突破性的短篇小说！"那就是汪曾祺的《受戒》。

那个时期的文学，在"伤痕文学"、"反思文学"、"改革文学"等浪潮涌过后，《受戒》把沈从文曾挥洒过，而中断了多年的田园唯美小说，重新引回了文学百花园，令人精神一爽。年过花甲后，汪曾祺被人们普遍地尊称为汪老，他的创作生涯，竟出乎他自己意料地进入了一生中最顺畅也最辉煌的时期，他的小说一篇接一篇地发表出来，好评如潮，崇拜者甚众。最近我看到一本书，批判十位名作家，其中一位是他。编写这种书的批评家，对非进入经典名册或非为世人所耳熟能详的作家作品，是绝对不屑一顾的；汪老仙逝已有数年，不知他在仙界读到时，会现出怎样的表情？

1982 年，我曾和汪老、林大哥等人，应四川作协邀请，在全川兜了一大圈。二十多天里，我熟悉了汪老的人间表情。汪老嗜酒，但不是狂喝乱饮，而是精于慢斟细品。我们到达重庆时，正是三伏天，那时宾馆里没有空调，只有电扇，我和一位老弟守在电扇前还觉得浑身溽热难耐，汪老和林大哥居然坐到街头的红油火锅旁边，优哉游哉地饮白酒，涮毛肚肺片；我们从宾馆窗户望出去，正好把他们收入眼底，那"镜头"直到今天依然没有模糊。后来他二人酒足肉饱回来，进到我们屋，大家"摆龙门阵"，只见酒后的汪老两眼放射出电波般的强光，脸上的表情不仅是年轻化，而且简直是孩童化了，他妙语如珠，幽默到令你从心眼上往外蹿鲜花。

后来更发现这是一个规律：平常时候，特别是没喝酒时，汪老像是一片打蔫的秋叶，两眼蒙眬昏花，跟大家坐在一处，心不在焉，你向他喊话，或答非所问，或竟置若罔闻。可是，只要喝完一场好酒，他把一腔精神提了起来，那双眼就仿佛又充了电，思路清晰，反应敏捷，寥寥数语，即可使满席生风，其知识之渊博之偏门之琐细，其话语之机智之放诞之怪趣，真真令人绝倒！

1987 年，我访问美国时，应邀到爱荷华大学写作中心参加一个三天的活动，在那里遇到汪老，他是被邀住进那里的"五月花公寓"，做三个月长客的。为到美国他安了满口假牙，衣装也比在国内光鲜，但见到我时连说："哎，我已经倦游！"其实他说这话时才在那里待了不过十来天。那里缺少中国白酒，即使弄到了，又哪来重庆火锅那样的佐酒物？更何况缺少林大哥那样的"珠联璧合"的酒友。

1994 年，汪老，我，以及另外几位大陆作家，应台湾《中国时报》人间副刊邀请，去台北参加"两岸三边华文文学研讨会"，在香港机场转机时，汪老可真是老得糊涂了，过海关闸口时，他既拿不出护照，也找不见机票，懵懂得够呛，我和山西作家李锐两人，忙在他身上翻口袋，总算替他找全了应供检验的东西。但在台北活动中，酒后提起了精神，他仍能容光焕发，出语惊人。

　　据说，汪老写他那些小说，都是在酒后，双眼不仅不蒙眬，而是熠熠放光时，一挥而就的。我以为，若有人研究中国文人与酒的关系，汪老绝对是一个值得深入剖析的例证。

小糖火烧

　　总有一些人以为我和王蒙过从甚密，在他们想象里，我大概会经常出现在他家的客厅里，一坐就是一两个小时，也许还会更多。现在我要告诉大家，从 1978 年我头一回见到王蒙起，到我写这篇小文止的二十一个年头里，我到他家去过的次数，绝对少于二十一次，甚至于是不是有十五次，也很难说，总而言之，大概有十余次吧，平均每年不足一次，而且每次去了，坐满一小时的情况，那就更少了，或许只有五次？我和王蒙见面，次数较多的是在别人出资的饭局上，但一年里也不过几次。我们从不互相拜年，甚至也并不经常性地互赠签名新作。我们的交流方式主要是注意阅读对方在报刊上发表的作品，往往是阅读完后，便挂个电话，在电话里交换一些看法，当然也会顺便聊一点闲天。

　　人们都说王蒙是个妙人。也有人说他实在聪明过人，因而难以把握。我倒觉得王蒙有些方面的情况，似不大为人注意，而给我印象颇深，故有揭而发之的必要。

　　有一回王蒙在电话里跟我谈完关于我一篇什么文章的意见，便大肆鼓动我去买电动磨豆浆机，说是他每天清晨用那机器磨鲜豆浆喝，豆浆的热度机器本身可以控制，喝起来感觉好极了，赛活神仙云云，并且热心到把那电动磨豆浆机的品牌、型号、售卖商场、价格向我一一报告；可是我乃天下第一大懒人，宁愿买速溶的豆浆粉来冲着喝，始终辜负着他的殷殷推荐，至今没有购置那玩意儿。

　　又有一回，王蒙在电话里跟我大谈补钙的必要，一口气说出好几种品牌的高钙奶粉，特别向我推荐其中的"安怡"，我就跟他说高钙奶粉我试过，口感实在比普通奶粉差多了，而且我们都早过了青春发育期，这时候再来"恶补"，恐怕也吸收不了什么钙质了……他竟在电话那边跟我认真地争鸣起来，并且声称，他虽获赠的报纸有数十种之多，却还自费订阅了《中国食品报》，他对我的劝谕，都是"有报为证"的！后来我逛商场，有一搭没一搭地买了一罐"安怡"，回来冲着喝，渐渐地也喜欢上了，究竟补了多少钙且不去管它，诚如王蒙在电话里所说："你的生活里乐子不就多多了嘛！"

王蒙热爱生活，而且不放弃生活中那些平凡的，甚至可以说是琐屑的乐趣，这类的例子还很多。有一回的饭局，每人面前上了一碗鱼翅羹，因为是民间的饭局吧，服务上就比较马虎，顾客不强调，服务上能免就免了，一桌子的人，其余的人拿起羹匙便吃那鱼翅，唯独王蒙，他觉得那样好的羹，不能随便就那么囫囵吞了，他便很客气地，不带责备意味地，也没让大家都听见——我因在他旁边所以听见了——请服务小姐把循例应配备的、给鱼翅羹佐味的红醋拿来；服务小姐拿来了小碟红醋，他往羹碗里舀了适量的，细加搅拌，然后很开心地品尝起那鱼翅羹来，我觉得，他也算得那碗美味的知音了！有的人或许只会热衷于从鱼翅这类名贵的物品上去撷取生活乐趣，王蒙却也能从价格很低廉的平民物品上去汲取审美快感。有一回我去他家，他待我以香茗，并且竭力向我推荐茶几上精美瓷盘里的点心，我细一看，说："哎呀，我以为是什么不得了的东西呢，原来是小糖火烧呀！"那种深酱色的小烧饼在北京一般是不登大雅之堂，只在平民化的小吃店里发售的，可是王蒙极赞其香甜爽口，我吃了一个，也觉有意外感受。那天王蒙欣赏小糖火烧的意态，给了我一个永难忘怀的深刻印象。

多年来，王蒙住在北京一条小街的一所小院里，门外与小街交叉的胡同里是个常设性的自由市场，常有人看见王蒙穿着家常休闲装，手里托个北京人叫做"浅子"其实就是植物茎梗编的托盘，里头是他给家里买妥的切面，快快活活地穿行在人丛里。哪位画家有兴致画一幅《王蒙买面图》呢？

王子的舞步

　　林斤澜如今进入耋耄之年了,论轮廓,却还能引人发出"美男子"之叹。1978 年,我在《十月》杂志当编辑,当时他五十多岁,先是一位年轻的女编辑去向他约稿,回来惊叹他"远看像赵丹,近看像孙道临",后来我去拜访他,回到编辑部也说他实在是风度翩翩,引得大家很兴奋了一阵。时下的年轻人恐怕已不太清楚故去的赵丹是谁、什么模样,孙道临也老了,不再有《早春二月》里肖涧秋的那番容貌,倘欲让时下的年轻人懂得那位女编辑的意思,可以置换为"远看像毛宁,近看像濮存昕",那么,作家林斤澜,真有那么俊俏么?

　　林斤澜大我十九岁,我一直称他为林大哥,接触多了,渐渐地知道,他少年时代,在戴爱莲麾下,学习过芭蕾舞,并曾有过若干次公开表演的经验,这就难怪他不仅轮廓俊秀,身材也非我等蠢男可比,站有站相,坐有坐相,却又毫不做作,称为"美男",实不过誉。

　　不过,倘我一味如此这般地来"剪"林大哥的"影",纵使他一笑赦之,热爱他的读者,也定会斥我亵渎兄长低级趣味。是的,自从林大哥弃舞从文以后,他的美,就几乎全倾注于文字当中了。他的文字,一般人初读,或许会诧其怪味而觉得有些个"各色",然而一旦读了进去,落其彀中,则可能会嗜其风味而染上瘾来,那真是唯有他才铺排得出那样的文字,所谓独特风格,绝不与任何他者混淆重复,这是写作者最难做到的,而林大哥似乎是很早就很轻松地做到了。我曾把林大哥的文字风格形容为"怪味豆",如果把这个符码通约为戏剧电影中对演员表演的评价,那么,就是说他并非"偶像派"而是"演技派"，而且其演技又能在变化中以强烈的个人风格一以贯之。

契诃夫在其剧作《万尼亚舅舅》里，借一个人物嘴里说过："人的一切都应该是美的：面貌，衣裳，心灵，思想。"当然，我们更看重心灵美。林大哥的心灵美，给我印象最深的，是对比他辈分晚的青年作家的不嫉妒，而且还常常竭力地加以扶持。他担任《北京文学》主编的那些年里，很推出了一批有才华的作家的创新之作。他的不嫉妒和鼓励后进，从来都不是"作秀"性质的，而是真心的、切实的。记得1979 年，我那时因为发表了《班主任》，正所谓"红得发紫"，林大哥为我能得以进入文坛由衷地高兴，一次在他家招待他的五十年代的文友，把我也请去了，饭桌上，有一位大哥捧我："你是我们大家的班主任！"弄得我晕头转向的，事后林大哥对我说，《班主任》"思想大于形象"，他让我好好琢磨琢磨沈从文的《边城》，萧红的《呼兰河传》，梅里美的《伊尔的美神》……1980 年我发表了《如意》，很得意地问他："怎么样？有进步吗？"他直率地告诉我还不到位，直到 1981 年我发表了《立体交叉桥》后，他才对我说："这下算是小说了！"鼓励我在摸到的门径里继续前行。

一晃，和林大哥相交二十多年了。岁月无情，人事多有白云苍狗之变。那位曾在五十年代早已露头角的同辈前，把我这七十年代才进入文坛的新作者肉麻地尖声吹捧为"你是我们大家的班主任"的主儿，早把我弃若敝屣甚至还加害不浅，可是当年郑重地奉劝我不要得意忘形、刻苦琢磨小说美学的林大哥，却风雨无阻地与我保持联系，前几个月我们还在一家我原来教过的学生开的淮扬风味的饭馆里小聚，在座的有比我小了二十岁的评论家张颐武，比张颐武又再小下七八岁的"新生代"小说家邱华栋，按说是老少三辈的人了，可是大家却言谈甚欢，完全没有代间的隔阂。事后，我跟邱华栋提起，当年林大哥是跳过芭蕾舞的，他恍然大悟似的说："怪不得！一点没觉得他老，那股子美学上苦苦追求的劲头，令人联想起《天鹅湖》里王子高贵的舞步！"

是这样。王子的舞步！林大哥，你会继续下去。

玉 壶

我在海内外的出版物上，见到过许多访问者与冰心的合影，这些合影都是二十世纪最后那十几年里，在冰心老人的居室里拍摄的，拍摄的角度几乎一模一样，合影中，冰心总是坐在书桌后面，身后是两个样式最普通的书柜；如果拍摄时运气好，她的那只爱猫也许会蹲在书桌上，使整个画面格外生动。我自己也有好几张这样的合影，也曾在自己的文集中刊用。

我头一回去拜望冰心，大约在 1980 年，是穿过当时的中央民族学院校园，好不容易才在学院宿舍大院里找到她家的——其实，准确地说，那是民族学院吴文藻教授的家，冰心是作为其家属住在那里的；这让我颇为吃惊，因为这与我原来所想象的情形，相距甚远。记得那时他们家所住的深灰色楼中的那个单元，以那个时代而论，还是比一般北京市民的居所条件要好许多。那时吴青、陈恕两口子虽说住得离两位老人不远，可以就近照顾，但毕竟也不甚方便。记得我告别时，看见陈恕正在过道里擦洗一只很大的塑料盆，他对我解释说："准备给爸爸洗个澡。"可见那单元的厕所间里尚不具备洗澡的设备。

后来民族学院的那个宿舍大院里盖起了一栋新的教授楼，楼顶上非常触目地安装着一大排太阳能热水器，仿佛是个露天玻璃镜子铺。在那座浅灰色的楼里，冰心家的面积扩大了不少，而且吴青他们也换到了连通的一个单元里，卫生间里也有了可供洗浴的澡盆。不过吴文藻先生未能享受几时便仙逝了。前面所说的，近十多年

藤 萝 花 饼

频频出现的，各色人等与冰心的合影，都是在这栋楼里她家那个单元的一间卧房兼书房的书桌边拍摄的。

我 1990 年后几次去拜望冰心，都注意到她那间卧室兼书房兼接待室的格局的独特性。冰心年逾九十仍笔耕不辍，两家出版社给她出全集，文集也有几种，单行本和散发的文章更多，稿酬不消说是丰沛的，按说只要她发个话，让吴青他们给她把屋子装修得堂皇些，把卧室、书房、客厅的功能区分割开，并且布置得优雅些，无论是财力还是孝心，都绝无半点问题，但她却不断地把稿费捐给"希望工程"，用于设奖扶持后进，以及捐给灾区，自己就在那间并不怎么阔大更不讲究排场的屋子中待客受访，谈笑风生，甘之如饴。这已经令人敬佩。再一细看、一细想，吴先生仙去后，她仍让保持两张并排的、老式的单人小铁床，并且仍保持两张并在一起、座椅对望的老式书桌，那岿然不动的格局里所蕴涵的永恒情愫，更令人怦然心动。

有一回我坐在她老人家对面，应该是原来吴先生坐的那张书桌前的椅子上，当时别人都不在场，不知怎么地话题涉及到了生死——我倏地有点后悔，觉得在世纪老人面前说这个是不恰当的，急着想用别的话岔开了去，她却微笑着，蔼然地对我说："其实，生死之间不过是个屏风。死去，不过就是转过屏风罢了。"这话于我真是醍醐灌顶。光这一句话，就够我受用一世。

"一片冰心在玉壶"。冰心转过屏风去了，而那朴素清淳的"玉壶"还在，不知能不能把那间她与无数访问者合过影的房间，辟为"冰心纪念室"？

吴导有佳片

电影导演？姓吴的？吴贻弓？吴天明？老一辈的？那……拍过《神女》的吴永刚？还不对？谁？吴祖光？是吗？

吴祖光先生的名气不消说了，一般人听了都会觉得如雷贯耳，但现在人们可能会一听到他的名字，首先会想到他是一位剧作家，而且在抗日战争时期是一位神童剧作家，有《风雪夜归人》等著名的话剧剧本问世，后来他与著名的评剧艺术家新凤霞结为伉俪，又整理了《花为媒》等很多脍炙人口的戏曲剧本……当然，还会想起他曾蒙受冤屈饱经磨难，雨过天晴后，其正直率真的品格更其光大，又有许多佳文妙著问世；但他曾是正儿八百的电影大导演，这一节许多人却印象不深，甚至不曾知晓。

祖光先生在二十世纪四十年代，曾在香港执导过不少电影，如以古喻今、鼓吹抗日情怀的《国魂》，反映劳苦民众艰辛生涯的《虾球传》，充溢着青春气息的《莫负青春》，等等。1949 年新中国成立后，他在周恩来总理的亲切关怀下，和若干进步的文艺工作者从香港兴奋地回到内地，被分配到北京电影制片厂，积极地投入了繁荣新中国文艺事业的创造性劳动中。开头，领导上指派他拍摄反映解放前天津搬运工人与把头恶霸进行斗争的影片《六号门》，他很感激组织上的信任，但他提出来自己实在不熟悉天津搬运工人的生活，剧本虽好却摩擦不出灵感的火花，一再推辞，可领导上仍坚持要他去导，结果终因"不对路"而半途而废；现在我们所看到的影片《六号门》是换导演后另拍的。此事被周总理知晓后，建议给吴祖光"对路"的活计，那就是拍摄《梅兰芳的舞台艺术》。祖光先生打小就喜爱京剧,他最著名的话剧剧本《讽雪夜归人》,那灵感就来自他少年时代泡广和楼剧场的生命体验,他跟梅兰芳等京剧界人士本来就是朋友,拍摄这个题材的影片于他不仅创作冲动饱满,艺术处理上也得心应手。但那个时代我国有点"全盘苏化"的倾向,各行各业都时兴请苏联专家,为拍《梅兰芳的舞台艺术》,也请来了几位苏联专家,他们虽然对新中国很有感情,在彩色胶片的拍摄洗印方面也很有经验,但对京剧艺术他们实在是非常地外行,对他们出于善意却往往并不高明的指导,祖光先生真是穷于应付,结果所拍出的片子,恰恰在色彩处理上徒有西洋油画的沉郁格调而缺乏东方艺术的亮丽典雅,留下了难以纠正的遗憾。

《梅兰芳舞台艺术》后来除剪成上下两集外,又将《洛神》单独成片发行,《洛神》一片体现出祖光先生对苏联专家外行指挥的"天鹅绒式抵制"获得了成功,看起来舒服多了。

但我以为祖光先生的近乎完美的电影作品是《荒山泪》。拍完梅兰芳的戏,一次周总理请吴导吃饭,提出也应给程砚秋留下舞台艺术的记录,但那时程砚秋身体发福,加以本来就人高马大,周总理叹息道,恐怕没法子拍电影了,吴导笑应道:"电影片子,电影骗子也! 有的是办法! "周总理和在场的其他人就鼓励他拍程砚秋。本来程派最具代表性,场面热闹,唱腔也最好听的是《锁麟囊》,但依那时的文艺理论评判,该剧被认为"有阶级调和倾向",于是最后决定拍《荒山泪》。拍摄过程中不再有苏联专家插手,吴导与程先生及整个剧组合作得非常愉快,封镜后剧组集体到颐和园聚餐,餐后乘船畅游昆明湖,程先生酒醉后竟躺在船上睡着了……忆起这些往事,祖光先生如今还恍若沐浴在那一天的快乐中。

我最近购得《荒山泪》的 VCD 盘,已几次捧著细赏,深感是戏曲艺术片的杰作,无论镜头的移动,布景的设置,光影的浓淡,色彩的典雅,都达到无懈可击的地步。尤其是,把确实身高体丰的程先生,巧妙地拍摄得十分中看,当然,这更取决于程大师那出神入化的表演艺术,他竟使我们在幽咽婉转的唱腔、优美流畅的身段、含蓄丰富的表情中,深信那就是剧中的那个善良而刚强的农妇。祖光先生说,当时因为拍摄得非常顺利,以至拨给的彩色胶片还剩下许多,于是又利用那些节余的胶片拍摄了一部风光片《春到滇池》。

伉俪情深

夜半时分，忽然房子咔拉咔拉响，床铺摇晃起来，妻子惊醒后不知所措，丈夫跳起来，俯撑在她身体上护卫着，镇定地对她说："别怕！有我！"

这是 1976 年夏天，唐山发生了特大地震，北京震感十分明显。那妻子是新凤霞，丈夫是吴祖光。

新凤霞是著名的评剧演员。这个剧种长期在北方流行，直到现在，五十岁以上的北方人，特别是京、津、冀、辽一带的戏迷，提起新凤霞来，心头总还是热热的，嘴里会不由得哼出她在《刘巧儿》里的唱段："巧儿我自幼儿，许配赵家……"她的古装戏《花为媒》、清装戏《杨乃武与小白菜》也迷倒过无数评剧爱好者。可惜在"文化大革命"中，她饱受摧残，导致偏瘫，正当盛年，而不得不永别舞台。

吴祖光则是著名的剧作家。早在抗日战争初期，他才二十啷当岁时，就在大后方重庆写出了风格独特的话剧《风雪夜归人》，很快搬上舞台，轰动一时，有"神童"的美誉。以后数年里，他的舞台剧本一个接一个出来，再后来又编导电影，1949 年以后他拍摄的《梅兰芳舞台艺术》和程砚秋的《荒山泪》，成为了戏曲电影中的瑰宝。但他 1957 年被错划"右派"，"文化大革命"中更被打成了"牛鬼蛇神"，才华在很长时间里被压抑被虚掷。

唐山大地震发生时，他们的处境还很糟糕。但自从他们结合以后，一直有福同享、有难同当、相濡以沫、激励以进。

藤萝花饼

改革开放时期，这对恩爱伉俪仿佛重新张开风帆的航船，进入了崭新的航程。新凤霞身残志更坚，把在舞台上挥洒的才华，转化为著书立说，并且把早年拜齐白石为师学得的画艺，提升到一个新的高度。吴祖光写出了《走江湖》等新的剧作，并创作了大量的散文随笔作品，还把书法艺术发展到随心所欲的境界；他在近十多年挥毫大书得最多的四个字是"生正逢时"。

我有幸在1980年时认识了这两位前辈。九年前，当时的法国驻华大使马腾先生，请吴祖光新凤霞伉俪，还有包括我在内的几位北京文化界的人士，在日坛里的一家餐馆吃饭。新凤霞是坐着轮椅去的。宴散后，我自告奋勇地去推新凤霞的轮椅，觉得自己相对比较年轻，这样做也能体现出我对他们的尊重。我推着新凤霞在回廊里往前移动，那时候马腾先生和另外一两位先生还在兴致勃勃地跟吴祖光先生攀谈。我正往前推着，忽然发觉吴先生离开跟他谈话的人们，快步朝我抢来，我以为他是客气，扭头对他说："您先聊吧……"说时迟那时快，我手下的轮椅被什么东西挡了一下，它猛地一停，新凤霞身体便不由得被惯性抛向前去，在那千钧一发的当口，吴先生及时地跑到了轮椅前面，一把抱住了新凤霞。我顿时冒出一身冷汗。吴先生让新凤霞重新坐好，没有责备我，只是说："来的时候我记住了，这儿有道门槛。回廊上按说是不该有门槛的。到了这儿只能前仰后翘地慢慢移过去，或者两个人把轮椅平抬过去。"

有一回吴先生在他家附近过马路，被一位不遵守交通规则的骑车人撞了，虽没大事，但一只脚肿了起来，他回到家一声不吭，等新凤霞睡觉后，才自己烫脚、敷药。保姆发现了，吴先生把食指竖在唇边，他的意思是，凤霞这辈子为我担惊受怕太多了，现在要让她完全欢畅地生活，这点小挫折就千万别再让她劳神了！后来吴先生的脚慢慢痊愈了，新凤霞始终没发觉有这回事。

新凤霞已然仙逝。一贯直言畅语的吴先生渐渐变得寡言少语。在北京西南郊，风景幽静秀丽的潭柘寺、戒台寺附近，一处锦缎般的山谷里，有一座新开辟的墓园，吴先生携子女，在那儿买下了双穴，新凤霞的骨灰已经从八宝山移葬该处，吴先生平静地说，他以后也要来这个地方，和凤霞待在一起。

　　是的，待在一起，而不一定是长眠。那时，他们还有许多话要说，有许多美丽的构思要化为艺术的彩蝶，到浩瀚的宇宙里去翻飞。还记得新凤霞在《花为媒》里那场报花名的演唱，跟她配戏的是后来以演小品走红的赵丽蓉，她们两人一唱一和，边舞边唱，而那些优美流畅的唱词正出于吴祖光之手。值得庆幸的是那出戏拍过彩色电影，被完整地永久保留了下来，有时电视里还会重播。这令人悟到有些美丽的生命是永不会泯灭的。

铃兰花居

一说三松堂，很多人都知道，那是已故哲学家冯友兰先生的别号，他那部自传性的回忆录就叫做《三松堂自序》。冯先生在三松堂居住了近半个世纪，那是北京大学燕南园的一所平房式居所，整个住宅若从空中鸟瞰，呈回字形，居所门侧的庭院里有三株古松，枝蟠叶翠，堪称一景。冯先生以松自励，可谓自然天成。斯人虽已仙逝，其宏著却永留人间，他晚年的力作《中国现代哲学史》，最近在北京几家学术性书店久居销售排行榜前列，形成莘莘学子们的一个阅读热点。

我多次出入三松堂，也曾与冯老有所接触，但我去那里拜访，却是为了与宗璞大姐欢谈。宗璞是笔名，冯钟璞才是她的真名。冯老后半生，全赖她这个孝女悉心照顾，特别是在冯夫人去世后，在她来说，是照顾老人第一，自己的事业第二，别的当然更往后排。宗璞虽在三松堂居住，因三松堂不仅是居所名，也成了父亲的别号，所以她为那所房舍另取了一个雅号，叫风庐。记得我有一回深秋去那里，坐在客厅也罢，转到她家书库也罢，包括留饭时所在的餐厅，虽说都很温馨，耳边却总有风吹窗响的声音。原来那个回字形的房屋结构，不仅四面受风，还很容易使气流回旋舞动，称为风庐，十分恰切。我发现宗璞大姐并不怎么烦厌那时时响起的风声。宗璞大姐知名于世，主要是因为她那些意蕴隽永、手法新颖的小说，如短篇小说《红豆》、中篇小说《三生石》、长篇小说《南渡记》等，一般文学爱好者说起来，往往都不禁眉飞色舞。也有一些读者知道，宗璞大姐的散文也很出色，读来令人口角噙香。可是她也写童话，并自成一格，知道的人似乎就不太多了。她把自己的童话，统称为《风庐童话》，可见回旋在三松堂的那些大大小小的四面来风，竟成了她写童话的灵感来源。

能写童话的人，自然有一颗永远不老的童心。我和宗璞大姐在一起闲聊，她的思路像顽童一样，忽然会绕开已经展开的话题，活泼地笑起来，告诉我她忽然想起了一桩什么事，于是说出来，逗得我乐不可支。有一回我们坐在沙发上争论个什么问题，她养的那只塌耳猫蹲在一旁，歪着脑袋，仿佛很感兴趣，我指着猫说："他也有意见呢！"她望着猫，很认真地说："他要是开口讲话，我一点也不会觉得奇怪。我觉得他随时都想用我们的语言讲话，只是他提起兴致来了以后，又忽然懒得理我们罢了。"难怪她能写出那么多童话，她的心灵与一切美丽的生命，随时都是相通的啊！

更有很多人不知道的是，宗璞在退休前，很多年里，她的本职工作是搞外国文学研究。她曾把获得过诺贝尔文学奖的澳大利亚作家怀特作为自己的研究课题。她阅读怀特的作品，试着翻译，非常投入。但有一回我去风庐，问起来，她笑说她这人没法子搞这种研究，比如，翻译时，从英文的角度，她会总觉得，某个句子这样写并不高妙，这样叙述未免啰嗦，总忍不住想加以改动。这样的心理状态，当然不适宜搞外译中的工作。她也不是对外国作家严，对中国作家松，她就曾经对我的小说提出非常尖锐的意见，比如认为那小说的整个最后一节应该完全删去。其实，她待之最苛刻的，是她自己。她长期体弱多病，写作总是断断续续，真可谓五日一石，十日一水，慢工细活，精雕细刻；编辑们对她写出的每篇文章，几乎都是翘首以盼，生怕她完篇后不能到手，竟有到我这里来打探消息，以便捷手先得的；我也确乎多知道些她的写作计划，见到她时会提起具体的篇目，但不止一次，她淡淡地说："写完了，可都撕了。"我替她可惜："觉得不满意，你也该留着，搁抽屉里，暂不拿给编辑发表就是嘛，为什么要撕掉呢？"她笑而不答，脸上毫无遗憾之色；我才明白，她对自己的文字，那股子"洁癖"劲儿，超过了对世上任何人的文章。

三松堂，或曰风庐，南窗外有几丛丁香，我曾写过《生活赐予的白丁香》，畅抒

藤 萝 花 饼

从宗璞大姐那里得到丁香一路捧回家的感悟。但他们那个回字形房舍的中心是一个
不小的天井，却长期没怎么太经营，其实那里面很该布置成一个花木茂盛的休闲区。
我几次提出了建议后，前年春天我再去时，宗璞大姐和她先生仲德兄引我到天井里，
把一片草花指给我看，我蹲下细看，是秀美的铃兰花，每根花枝上都挂着一串蔚蓝
色的铃铛形花朵，氤氲出阵阵淡雅的香气，令我想到主人本身所具有的那种玉精神、
兰气息。啊，真好！我觉得，那居所应该有第三个名称了：铃兰花居。在那个铃兰花
越开越多的天井里，宗璞大姐缓缓踱步时，又会构思出多少精妙的文字来！

登山何必非极顶

十多年前，在朋友家里的"派对"上，与严文井伉俪邂逅，记得那晚下起了豪雨，客人们回家都感到困难，于是主人爽性拿出更多的饮品小菜，热情地邀请大家换杯重开宴，客人们也且把窗外倾缸般的雨声权当伴奏的乐曲，更欢快地交谈起来。不知哪位说起了到峨眉山旅游的事，同行的旅伴们历尽千辛万苦，终于攀上了金顶，又冒着寒气，苦苦守候在山巅，等待着佛光的出现，但是那回极顶的人们运气不佳，直到不得不撤离金顶时，也无缘见到那呈正圆形的虹彩——佛光出现，于是，叹着气下山，下山时有的人还互相嘱咐说："回去有人问，咱们可别说没见着佛光呀！"这段闲话引出了一片笑声。笑声落下后，只听有个人用低沉的声音说："我登山向来不求极顶的。"我循声一望，讲这话的正是严文井。

在我出生之前，严文井已经出版过散文集《山寺暮》，并且到延安参加了革命，在延安他写了许多童话，还有一部长篇小说《一个人的烦恼》；1949 年后他在若干文化出版部门当过多年领导，于我而言，他是文坛老前辈，也是革命老前辈。改革开放以后，我才有幸与他谋面。记得 1978 年夏天，还正是报纸社论强调"两个凡是"的当口，当时的中国作家协会和社科院文学研究所联合召开了关于我的小说《班主任》的讨论会，在那个会上，我头一回见到了冯牧、陈荒煤、朱寨等久闻大名的评论家，他们都对《班主任》作出了高度评价，使得忐忑不安的我大受鼓舞；几个发言过后，主持会议的冯牧说："请严文井同志发言。"我这才知道还有严老与会。他作了一个很生动的发言。他没有更多地从理论上去分析《班主任》的得失，而是以目睹身受的若干感性例证，来肯定那篇小说在反映社会生活上所达到的真实程度。他的发言正仿佛引人登山揽胜，步步有景，树茂溪清，但适度而止，不作最后结论，没有极顶，却留给随登者丰沛的思考空间。后来我参加北京出版社《十月》丛刊的创刊工作，也开了个会，拿出创刊号拟目征求意见，严老也到了会，他没作长篇大套的发言，只是用手指点着目录上我那篇还没定稿的小说《爱情的位置》，高兴地说："好呀，爱情又有它的位置啦！"后来与严老又有些零星的接触，感到他有一股与旧我旧框框旧道道彻底决裂的难得勇气，并知道他对新的文学潮流新的文学人物常有颇具力度的提携之举，但那大都并未形诸笔墨、公诸社会，多是些私下的，忘年交形式的心灵付出。

那个"派对"上严老不经意地说出了他性格中的一个特点，使我联想到对他的更多印象。他住平房时，迁入多年墙壁从不再加粉刷，我见到时几乎已呈灰黑色。后来迁入楼房，有颇大的客厅，但很快也就显得旧敝，因为他一直养猫，纵容那猫咪在家具上磨爪嬉戏。他虽很早就歇了顶，但花甲过后气色依然红润，身体底子很好，却并不刻意养生求寿，有一回见到我笑嘻嘻地说："我已成无齿之徒。"又一回我见他脖子上鼓出一个大包，还没说出劝他去医院检查的话，他倒先说："更标致了是不是？良性良性，绝对良性！"他一生写作大体都取边缘体裁、题材，写得慢而少，精美，典雅，不去追求宏阔恣肆的气象。

那个"派对"持续到后半夜雨仍很大，我们年轻些的都打算狂欢一宿，严老却表示他兴尽欲归，于是我们几个人举着雨伞去到街边，费了好大劲才找到一辆空的出租车。把严老和他老伴送走后，继续喝酒聊天时，我还不住地自问："登山何必非极顶？有人攀到巅峰自然应该为他祝贺，但自己能尽力并且尽兴地登到半山，不也挺好吗？"

优雅的白绸围巾

提起冯牧，就不免想起上世纪七十年代末八十年代初，改革开放初期的那些难忘岁月。但这只是我个人的情感角度。冯牧在我还是个小孩子的时候，就已经是个著名的文学伯乐，他在云南扶植培养了一大批军旅作家，引起京城文坛瞩目，于是他从边陲调往首都，在《文艺报》任职，进一步成为了著名的文学批评家。宗璞大姐那时和他是同事，据宗璞大姐回忆，有一回《文艺报》开会，会议室门开着，因为冯牧刚来不久，路过那门口的一位总务人员不认识他，不禁大惊小怪，对迎面走来的宗璞小声报导说："有外宾哩……"宗璞大姐顺那人所指一望，"外宾"者，冯牧也。那年月，夏天大家都无非一身短袖衬衫，发型也相差无几，冯牧怎么就偏给人一种"外宾"的感觉呢？这恐怕是他确实有种不同寻常的气质。

冯牧是美男子吗？我认识他的时候，他已年届花甲，依我看来，他既不阳刚，也非柔媚，风度不错但难说达于了翩翩，气质不俗却也未必十分地高贵，总之，我实在不明白怎么有那么多女士喜欢他，而且，有的哪里只是喜欢，确确实实地，是爱他，追求他。一位不期而至，干脆把行李带到他家；一位追踪他到出差地，缠住不放……我去拜访他时，目睹过那突然袭来的热烈追求，更经常看到本地或远道而来的若干女士，虽然不是追求他想怎么样，但那跟他交谈时的眼神表情，真是特别地异样，仿佛沉溺在一种最甜蜜的心灵享受之中。从俗世的角度说，这是有艳福吧。但冯牧有过一次极其失败的婚姻，而且，他似乎根本无法再全面接受任何一位女士，在这方面，他的命运有种诡谲而神秘的色彩。

我能走上文坛，与冯牧的扶植是分不开的。我们一度过从颇密。1983 年法国南特电影节决定把根据我的小说改编的影片《如意》在开幕式放映，我应邀去法国，行前去冯牧那里，他竟非常地羡慕，告诉我他的出生地是巴黎，但后来再没去过法国。那时冯牧在中国作协负责外事，他却从未自诩为什么"作协的外交部长"，更没有"近水楼台先得法国月"。他在运用权力的问题上不仅是廉洁自律，而且有时可以说腼腆退让得令人吃惊，比如后来有人接手了作协外事工作，在上海金山开了个国际汉学家会议，与会的许多汉学家都是知悉冯牧在新时期文学中的拓荒牛作用的，都等着在会上跟他讨论交谈，但那位在作协领导班子里名次远在冯牧后面的操作者，却在长长的与会名单里"忽略"了冯牧，我得知后问冯牧："你怎么就算了？"他只苦笑了一下而已。

冯牧出身书香门第，敌伪时期他家住在西单一带的漂亮宅第里，他在德国教会学校辅仁中学上学——那学校解放后收归国有，改名北京十三中——我一度在那里当老师，所以有跟冯牧"前后师生"之谊。那时冯牧青春年少，春秋天一袭浅色长袍，脖颈上一条白绸围巾，学业优秀，而且师从程砚秋学唱程腔，造诣非凡。但他终于还是投身在了抗日救亡的时代大潮中。他告诉我，有一天日本宪兵搜索到他家，进了他的书房，他所藏匿的那些抗日传单几乎就要被搜出时，他家的一位男仆机智地捧来了一茶盘的香茗，使日寇的搜查不由得停顿，坐下喝了那些茶后，也就没再搜查下去。就在第二天凌晨，他转移了传单后，便坐上家里自备的黄包车，去了火车站，后来辗转投奔了延安，从此掀开了他生命史上新的篇章。

冯牧去世好几年了。现在许多年轻人已经不太知道他。但当代文学史上不能略去关于他的一笔。在我的人生记忆里，仿佛总嵌着那样一个他离家投奔理想的画面，一条优雅的白绸围巾，飘动着，令人无限怀念……

直来直去

　　我姨妈在世时是个活泼多话的人。1958 年，那时候她下放河北怀来，回北京休息时，跟我们提起同住一室的是个女作家，叫韦君宜。姨妈形容说："啊呀，那个作家，话少！偶尔开口，直来直去，不拐弯儿的！我原以为作家说话都跟写文章一样，总是妙趣横生呢！"姨妈是个搞植物保护的科研人员，可是对文学艺术很感兴趣。那时她和韦君宜怎么会在下放时住到一起？想来是为了不让搞文学艺术的人扎堆儿，更有利于他们的思想改造吧。韦君宜给我姨妈那样的印象，一是她性格里有直来直去的一面，另外，我姨妈哪里知道，在那之前，韦君宜因为在作家协会主编《文艺学习》，在刊物上组织过关于王蒙反官僚主义的小说《组织部来了个年轻人》的讨论，以及其他的一些"问题"，险些被划为"右派"，是上面有人保了她，才得以仍能作为革命干部下放锻炼，在那样一种状态下，她怎么可能对一位陌生的科研人员敞开心扉，又哪来谈论文学艺术的兴致呢？

　　我见到韦君宜是在 1978 年，那时我是北京出版社《十月》杂志的编辑，她也是我们杂志约稿的对象之一，有一天她忽然来了个电话，直接打给我，让我去她的办公室一趟。我原以为她是要给我稿子，谁知进了她所在那个出版社的办公室，她却问起我一件事，并且直截了当地批评起我来，指出我的某一说法很不得体。事出突然，伤及我的自尊，我心想这样的谈话只能是我所在的单位的领导才有资格，我又不是您这单位的人，您怎么能这样对待我呢？我情绪激动，跟她顶撞起来，她倒愣住了——

在一瞬间，我感到她确实并无恶意，而且心无城府，直来直去惯了，完全是性格使然——结果，我渐渐平静下来，她也答应给《十月》写稿，连内容都跟我讲了一遍，我们握手言欢。回去以后，我等她再来电话好去取稿，想是她太忙，无暇写作，久无电话给我，而我呢，虽然心里越来越感念她对一个初登文坛的作家的严格要求，却也不好意思主动给她挂电话。看来她和我姨妈及我，都没什么缘分。

1984 年我的长篇小说《钟鼓楼》在《当代》杂志刚连载完，单行本还没印出来，有天一位朋友来电话，告诉我《光明日报》发表了一篇不短的评论，题目很直白，就叫《我喜欢长篇小说〈钟鼓楼〉》。我马上就去找报纸，找到一看，那评论的署名竟是韦君宜！读了评论，我这才主动给她挂了电话，她说她是偶然从杂志上看到后半部的，结果一看就放不下，看完后半部，才又找前半部来读。她那篇评论基本上全是肯定的话，但绝无故作鼓励状的矫情，出自真心，好处说好，直言不讳，不知底里的人看了，或者会以为我早拜在她门下为师，关系一贯融洽，哪知我们原是红过脸的！她写那评论，也没有就此跟我近乎，以弥补"前嫌"的意思——后来我们在某些文学界的活动中见到，我问起她对我新的作品的意见，她回答我两个字："没看。"

几年前，有一天她的儿子忽然来到我家，送来一本她的自传体小说《露莎的路》。那时她的病情已然加重，卧在医院病房，尚能嘱咐家人给谁送书，却已无法在书上签名。那本书我一口气读完，内容上暂且无论，在叙述文本上，我要说，那真是文如其人，没有九曲回肠的缠绵悱恻，没有乱花迷眼的布阵藻饰，却有将历史的原生态整体再现的功力，有以真诚追问与沉痛忏悔为精髓的质朴文气，她投身文学事业几十年，终于以独特的性格语言讲述出了自己刻骨铭心的生命体验！

再后来，她那由亲属整理成书的《思痛录》问世，反响更加强烈。但病榻上的她却已经几乎全然丧失了表达能力。我想，无论如何，这世界上能够真正坚持原则性，并且一旦彻悟后便义无反顾地将所认准的原则直书不讳，以供人们思考的生命，是有福的。

静气浸入

"每临大事有静气",这话很早就知道,但我生性急躁,往往在不算怎么大的事情上,遭遇不顺,便沉不住气,面容声气,乃至肢体语言,就都不雅起来。1994 年年初,应台湾《中国时报》邀请,我们四位大陆作家去台北参加"两岸三边华语文学研讨会",那时候海峡两岸的文学交流刚刚开始,大陆作家进入台湾的手续之繁琐、荒谬的程度,比现在还要厉害得多。我们此前都有过出境访问的经验,没想到这回去自己国家的一个地区,竟比到遥远的外国还要麻烦!记得那回上午到达香港,跑出跑进机场去完成"必要的手续",折腾到下午四五点钟,在航空公司的柜台前,居然仍不能顺利地领到登机牌,那地方无椅子可坐,连个能靠一下的东西也没有,我只觉得身疲喉涩,忍不住发起牢骚。专程到香港来迎接我们的《中国时报》人间副刊负责人焦桐先生,为此忙来忙去,不时向我们致歉,但他一时也没有办法化解所遇到的"技术问题"。就在这时,我忽然注意到,我们同行里年龄最大的柯灵先生,非常平静地站在那里,双手握住身前的手杖,仿佛一株迎风微笑的大树,他那肢体语言使我憬悟:此时此地此事,应顺其自然,等候瓜熟蒂落;因为毕竟我们所要去参加的研讨会,是有积极意义的。从那一刻起,我就感觉到,柯灵先生身上有一种非常浓酽的沉静之气,这恰是我所匮乏的,我实在应该向这位长辈好好学习。

在台湾参加研讨会和参观访问期间,我对柯灵先生的举止风度有更自觉的观察体会,他年事已高,耳朵失聪,但他待人接物绝无"长辈架子",回答起问题来,也绝不以"耳背"作托词笼统对付，他的微笑是真诚的，谈吐是文雅的，讨论问题时，能深入浅出，或言简意赅，或幽默生动，使你感觉到他的思维仍然敏捷，创造力依然旺盛。即使在宴请的席间，他举箸应对，一招一式也让人感受到一种从容不迫的气度。真是静气浸入，而且那静气，是出自肺腑心臆。

现在张爱玲成为"五四"以来，人们给予艺术评价最高的小说家之一，一些文学史家、评论家乃至文学爱好者，简直是"言必及张"，但是，有些人就还不知道，张爱玲的出道，实在是端赖柯灵先生的大力提携。那是在上世纪四十年代，上海成为"孤岛"的时期，本来无名籍籍的张爱玲去给柯灵先生主编的杂志投稿，柯灵先生确是"伯乐"，一眼相中"千里马"，连续推出张爱玲别具一格的小说，虽然后来那些小说一度被遮蔽，到头来终于还是为中国文学的发展留下了若干奇花异葩。在台湾访问时，我也曾就他慧眼识爱玲一事与他交谈，他既没有眉飞色舞引以为功，也没有满口谦辞以示清高，只是静静地、淡淡地说："编刊物么，总归是不要埋没好稿子才对头。"

像我这个年纪的人，大都看过根据柯灵先生剧本拍摄的电影《不夜城》，那是一部描写上海民族资本家如何在解放后接受社会主义改造——实行公私合营的影片，那个时候的电影创作难免有主题先行的框架，但《不夜城》的剧本还是让你感觉到，不熟悉上海这个大都会历史、不熟悉民族资本家生活、不熟悉上海滩的人情世故，是不可能驾驭这样一个题材，表现得这样五光十色、生动可信的。电影"出笼"不久就受到严厉批判，批判的调门越扯越高，却又出乎意料地戛然而止。有人猜测，是最高领导人看了片子后，说了什么话。在台湾访问时，我也曾向柯老提及这一可能，他作为当事人，却并没有我那一份探究"小道消息"的兴致，只是静静地说："是忽然不批判，不了了之了。"当然，到了"文革"时期，写作《不夜城》又成了罪状，但柯老在浩劫之后，也不去谋求对《不夜城》的"再评价"，他是真正地朝前看，酝酿，并着手创作史诗性的长篇《百年上海》，那开篇部分，在我们从台湾归来不久，就在《收获》杂志上刊载了出来，文笔可称汪洋恣肆、纵横捭阖，老姜真辣，令我感佩。

不久前忽从报上看到柯老仙逝的消息，《百年上海》可能未及终卷，令我扼腕叹息。但我喜爱的刊物——辽宁教育出版社出版的《万象》,那新的一期也正好来到手中,柯灵先生当年在上海主持的《万象》,与如今的《万象》,绝不是刊名偶合,其中是有一脉静气相通的! 想到此,我要对柯老在天之灵说:您人走气在,凡正直、温煦之气,总是绵延无绝期的!

蜗居来客

我从小嗜读叶君健翻译的《安徒生童话》，一直盼望能有一天见到这位给我带来了那么多快乐的译者。1978 年夏天，我作为《十月》丛刊的编辑，终于有机会去叶老家组稿。编辑部派我去，是想请他出马，在儿童文学方面给我们提供带头稿。叶老亲切地接待了我，先跟我娓娓拉家常，又给《十月》提出了许多宝贵的建议；说到儿童文学，更是谈兴甚浓，对《十月》甫筹办，便注意到儿童文学这个品种的重要性，非常地鼓励。作为组稿编辑，我急迫地想得到稿子，便问他手头可有现成的作品？他略沉吟了一下，便告诉我，儿童文学的新作一时没有，但倒有一部现成的长篇小说稿子，是在"四人帮"还没倒台时，每天白日在单位被当作"牛鬼蛇神"罚扫厕所，晚上回到家，夜深人静时，偷偷写的。我听了很兴奋，恳请他拿给我看看，说回去将向编辑室领导汇报，看能否在《十月》发表。他把稿子给了我，嘱咐说："你看看，给我提提意见。如果觉得不合适，就退给我。"那是厚厚的一大包稿子，相当沉，我骑车带回编辑部时，把它夹在自行车后座上，怕半路掉下遗失，右手扶车把，左手一直伸在后面，紧紧按住那包厚重的文稿。那是总称为《土地》的三部曲，约一百多万字。读时我有三重的惊讶。一是我这才知道，叶老并不仅仅是个翻译家和儿童文学作家，后来在处理稿件时跟他细谈，更知道他首先是用世界语和英语，创作长篇小说，并在英国出版的，搞儿童文学，倒是那以后的事；二是在"文革"那样险恶屈辱的环境下，不仅在单位里挨斗，他解放初从英国回来，用自己挣的版税买的三合院，也被街道上的"造反派"强行抢住了进去，受着监视，可他却居然还能偷偷地潜心写出这样的宏篇巨制；三是他那小说的叙述方式，同我以往接触过的中国现代长篇小说很不一样，语调非常地冷静，刻画人物不用浓彩，多用白描。后来《十月》发表了三部曲之二《自由》。

那时我住在离叶老家不远的柳荫街，一所杂院的窄小东房里。有一天晚饭后，有人敲门，我开门一看，是叶老。他微笑着说，因为我告诉过他住处，这晚散步，经过了这里，所以冒昧地来拜访。我忙将他让进屋。那时我家只有两把椅子，一把是我在小书桌前写东西时坐的，另一把放在书桌一侧，是给客人坐的，倘若客人多了，或我爱人在家，那除了一位客人，其余的就只能坐床铺，孩子那时还小，有没有客人，都基本上在那张双人床上嬉闹。当时我的虚荣心泛起，心想叶老独门独院——"文革"中强住进来的人家已经搬出——是何等宽敞漂亮，我这蜗居也太寒酸了，倘若回娘家的妻儿再回来，那就更显得转不开身了，接待跟我平辈的朋友尚可，接待叶老这样的前辈名人毋乃太尴尬！我这人嘴上藏不住心里的想法，再说跟叶老也算相熟了，便把因为住房狭窄感到惭愧的意思吐露了出来。叶老蔼然可亲地对我说，他三十来岁的时候，住得比我这样还窄，是在一个破旧洋房的洗手间里，在旧澡盆上架块木板，白天当桌子，坐在小板凳上写作，晚上铺上褥子，当床睡……可是那时他很快活，因为他觉得自己能从事自己选定的、进步的翻译和写作，及其它形式的文化事业。那一晚，叶老和我聊得越来越有兴致，以至爱人带着儿子回来后，我还舍不得他走，他也很愿意跟我爱人聊聊，还亲切地逗我儿子玩。送他到胡同口时，一弯如眉的新月，似在天穹上笑望我们。从那以后，不仅我们俩成了忘年交，我们两家也有了来往。我们的忘年友情，一直维系到他仙逝以后——现在我还时时忆起，当年他主动到我那蜗居做客的音容笑貌，是他使我憬悟，人生的幸福，主要在于你是否能自主选择，在于你每天是否从事着自己热爱的工作。在这种回忆，以及阅读他的译著文字中，我觉得我们还在继续交往。

叶老真正做到了生命不息，笔耕不辍。已经到了癌细胞大扩散的状态，他竟还有新作推出。叶老虽已仙去，却为民族留下了丰富的文字遗产，不止是译作和儿童文学，还有大量的小说和散文，正是：曲终人不见，江上数峰青！

十六朵玫瑰

谁的旧日记册里，夹有干成薄片，却仍氤氲着芳香的玫瑰？检视往日记下的那些文字时，翻到夹有玫瑰的那一页，该是怎样的心情？轻轻拈起那薄如云、香如故的玫瑰，会觉得，那玫瑰根本没有干枯，还欢放着，缀着清晨的露珠！

我的书架上，在许多堂皇的厚书、新书、精装书、礼品书当中，夹着十六本薄薄的、瘦小的、纸页发黄的《安徒生童话》全集，这是我阅读历程里永不凋谢的玫瑰。

我爱安徒生。爱安徒生童话。最爱他写的那篇《柳树下的梦》，还有《老单身汉的睡帽》。安徒生一生向世人，包括女性，当然更包括美丽、温柔的女性，竭诚地奉献出了他满腔的爱，然而，他始终孤独，在柳树垂地的长枝下，谁理解他那玫瑰色的绮梦？他戴着老单身汉的睡帽，完成了人生跋涉的全程。只知道欣赏《皇帝的新装》或《卖火柴的小女孩》的人，不能算安徒生的知音。读安徒生的童话，我微笑过，然而，更多的时候，是想哭。是的，只是想哭，却不一定真的哭起来。甚至于，也并不有泪盈眶，只是鼻酸。想到个体生命在这世界上，存活不易，理解别人很难，让别人理解更难。但是，终究还是要坚持人生跋涉，要坚持去理解，去宽容，去爱。

1992 年冬天，去丹麦，在哥本哈根港湾那"海的女儿"铜像前，只觉得所见到的，不是冰冷的金属，而是躯体里有心脏在跳动，有血液在循环的一个老朋友，一个好妹妹。《海的女儿》我读过了多少遍？算不清，也不必去算，只是切切实实地知道，每读一遍，心灵都被洗浴了一次。

　　十六本安徒生全集,小 32 开的开本,平装,封面绿色基调,朴素而典雅,里面的插图只是一些线画,然而,对我来说,那是非常完美的出版物。上海文艺出版社出版。叶君健翻译。翻译得太好了。每一句读起来都那么自然,就仿佛当年安徒生能直接用中文写作。

　　十六本安徒生全集,是我书架上的十六朵玫瑰。那是 1978 年,浩劫刚过,该全集重见天日后,第一次印刷,译者叶君健先生,在他家里逐册签上题词和名字,亲赠我的。叶先生头两年已然仙逝,也许此刻正在天堂里和安徒生促膝谈心。有叶先生的题词签名,这十六朵玫瑰更弥足珍贵,因为,它们也是叶老和我的忘年交的见证。

　　前些时,我在远郊农村里,安顿下了另一间书房,我城里书房是绿叶居,乡下书房叫温榆斋,两间书房的书架上,分藏着必要的、心爱的书。叶老签名的安徒生全集,拆开了放不妥;因为是随时要抽出一朵,搁在枕边的赏不够的玫瑰;那么,既然我两边书房都在使用,都有眠床,那么这十六朵玫瑰,究竟放在哪边才合适呢?这一技术性问题竟让我很焦虑了一阵,我对它们的钟爱程度,就不必再多说了吧!

一把大伞

　　风雨人生，不可无伞。你的人生可能尚未过半，但你已经使用过了多少把伞？是母亲，还是父亲，在校门外，迎向你，先把打开的伞遮到你的头上，然后赶紧把为你准备的那把伞，递到你的手中，伞柄上还滞留着她或他的手温……从朋友家离开时，你举着他们借给你的伞，说是借，却往往忘记了归还；而你家的伞，也常常地被来客拿走，那可能是他或她坚决不要，说是门外的雨算不得什么，却由你坚决地塞到他或她的手里，才被撑成浑圆，去承接雨丝的……在风雨过去后，人们常常忘记了自己的伞，你家会有别人留下的伞，而你的伞，往往还是很新的伞，也会遗留在别人家，甚至想不起来究竟是丢在了哪儿……两人同伞的经历却可能会嵌在你的记忆里，那情景历久弥新，特别是，已经完全不在乎伞的遮蔽功能，只是痴痴地享受那肩挨肩，相互传递心尖热波的感觉……

　　伞啊，你很平庸，却属必备之物。当然啦，伞挡雨，也遮阳。炎夏时节，会有不少女士，举着小巧的遮阳伞，袅袅婷婷地在路上前行，而男人们，也可能在露天酒吧，或海滨浴场的大遮阳伞下，躲避着紫外线的灼烧……近年来，更有人利用大量的伞，在公园里搞装置艺术；也有某些商家，在门口放置若干随意取用的雨伞，以广招徕……伞渗入我们的人生已经很深，而我们却可能还并没有怎么特别地注意去全面评估它丰富的人文内涵。

　　伞可以是艺术里很重要的道具，比如《白蛇传》，许仙的伞勾出了一出缠绵悱恻、惊天动地的悲喜剧。伞本身也可以成为独立的艺术品，有些庭院和起居室里始终撑在那里的、色彩明艳的特制伞，就是专门为引出审美愉悦而设置的。

　　伞成为了一种象征。一位朋友这样议论道："以前有'大红伞'之说，现在为寻求'大红伞'庇护，仍有不少人孜孜不倦、怪招迭出；不过，现在似乎'大金伞'更厉害一些……""大红伞"和"大金伞"都不是什么褒义的象征。我试图举出与伞有关的，人们耳熟能详的褒义象征，想了半天竟没能想出一例，却想到了"和尚打伞，无法无天"的俗语，可那含义其实已经跟伞本身没有多大关系。

　　"咱们有人"，这是当今世道里一句掷地有声的话语。它给俗人在俗世里以希望、快乐和自豪感。这话是不是太直露？为什么不改为象征性的隐语："咱们有伞"？我也是俗世里的一个俗人，我坦白，在有的事情上，在不越"线"的前提下，我也曾通过"找人"，打比方也就是"借伞"，来解决问题。搞掂后，虽并非沾沾自喜，却也心安理得。

　　但是，心底里，总祈盼着能有一把圣洁的大伞，笼罩着我们生命的全部时空。

　　1976年，唐山大地震那晚，我所居住的小平房猛烈地摇晃，从睡梦里惊醒的我，本能地抱起五岁的儿子冲出了屋子，妻子刚和我们依偎到一起，就眼看着隔壁院里一面山墙轰然倒塌。那时还不知道震中在哪里，也不知道地震还会在什么时候再来，当然更设想不到还会有比地震更深刻地影响我们人生的种种大事件会接踵而至。地震后很快下起了大雨，我家有两把伞，取出那两把伞以后，我和妻子儿子随着胡同里的人们，到附近一所大学的体育场里去避震。我和妻子把两把伞拼接在一起，坐在小板凳上，紧靠在一起，我让儿子坐在我怀里，一手撑伞，一手紧紧地把儿子搂在胸前。雨越下越大，我们的两把伞都比较小，雨水渐渐袭到儿子身上。这时，忽然有人拍我的肩膀，昏暗中扭头看去，是胡同里一位仅仅面熟，却不知姓名，并且没怎么说过话的大叔，他用简洁的语句，加上手势，使我明白了是要用他手里那把

藤 萝 花 饼

很大的伞，调换我手里那把小伞。我刚明白过来，他已经帮助我完成了那两把伞的置换，而一换完，他便消失了。那把大伞使我儿子得到彻底的庇护，雨水完全与他隔绝，并且温暖了许多……

儿子已经长大成人。今夜，窗外雨声淅沥，忽然有关于伞的诸多意绪漾在胸臆，倏地，二十多年前那把大伞张开在了心头。什么时候和儿子好好地讨论一番：我们的风雨人生，所渴望，并且所应付出的，是不是那样的一把大伞？……

拂去浮云

　　街那边开了个服装专卖店，那品牌算不上多么著名，但提起来也还有人知道。那天我转悠进去，想挑件适合我的长袖恤衫，几种花色的恤衫都折叠成摞，摆放在圆盘状货架上，我连续从几摞里挑出 XL 号的来，一一抖开在身前比试，都不满意。比试过的恤衫我不能折叠为原样，便只好马虎地撂回原处。店里的售货小姐走过来，把我搞乱的恤衫加以整理，她脸上的表情，以及飞快地折叠恤衫的肢体动作，使我觉得是在表达一种不快。我心里立刻响起"顾客是上帝"的口号，差一点就把那口号吼叫出来。这时小姐问我："您要什么样的？"她脸色依然冰霜般寒冷，我气咻咻地问："有没有竖条纹花样的？"我以为她应该懂得，像我这种没当上将军却鼓出了将军肚的角色，店里普遍存在的横条花纹的恤衫，如穿上都只能使我身躯的缺陷更加凸显，唯有大号竖条花纹的恤衫，穿上庶几可以减却我这身材的不足。小姐懒懒地答了句："没有。"竟转身离去了。没有也罢，可我从她眼神里，丝毫看不出对横条纹、竖条纹与顾客身材相应关系的领悟，唉，这样的木头，我要是老板，今天就炒她的鱿鱼！

　　从那服装店出来，满心堵着不痛快，走到过街天桥当中，扶栏顾望大街上万丈红尘，觉得对不起我的，岂止是那位木头小姐。如今人的素质太低，交流沟通实在困难，除了找钱还懂得什么？……从天桥上走下来时，穿过熙熙攘攘的人流，大有"众人皆浊我独清"的气概，悻悻地回到家中。

　　很多天，再没往街那边去过，对那家服装专卖店的存在，也逐渐淡忘。

藤 萝 花 饼

　　秋风起，落叶旋。前两天，转悠到街那边，夜幕不知不觉中已然降临，除了麦当劳快餐店，其余商店大都关了门。信步走着，忽然觉得，眼前出现了一幅巨画，那是一家商店的落地大玻璃窗，窗框仿佛现成的画框，画呢，竟是伦勃朗那种风格，整体上暗魅魅的，只有一个区域里，有菊色的亮光，光区里，勾勒出一个坐在小板凳上的女郎，她把一张西洋古典式的高背椅，权当书桌，在那里写信——对，一定是写信，因为可以依稀看出，那权当书桌的椅面上，有铺开的信纸，还有斜放的信封，甚至还能看出信封上有待贴的邮票……女郎的姿势基本上是凝固的，所以像油画上的角色，她似乎是写到什么地方，不知道该怎么继续了，把圆珠笔的笔杆顶端，下意识地含进了嘴里，两眼睁得很大，反映着一只射灯的光，却不知聚焦何处，也许，是在幻觉里，看到了很远的地方，那里会有人，期盼着她即将写完的信……

　　我痴痴地站在那幅"巨画"面前，心里旋出一丝比一丝厚重的感动。在这凉意浸入的秋夜，在这静静的角落里，有着如此富于人性，饱蘸人情，渴望沟通，祈盼亲和的，活生生的画面，魅力四射地呈现！

　　可是，我在进一步赏"画"的过程里，忽然从记忆中扯出来一根筋，把我的情绪猛地弹了一下——呀，这不就是那家服装专卖店么？而那写信的女郎，不就是那回引出我不满，以至腹诽她为"木头"的售货小姐么？……

　　我离开那里，在霓虹灯闪烁的长街上踽踽独行。思绪如抽丝般绵延不断。我心上常有愤世嫉俗的浮云，不惮以恶意揣测他人的一举一动一言一语乃至一个表情一副姿势，即使对方确实有缺失吧，却从不反躬自问：我又表现得怎么样？在人际交往中，颇擅长疑忌、戒备、还击乃至于主动出击，动辄生出"把他灭掉"的想法，自己没能去灭，看到有人去灭，便一旁拍手称快，偶尔还趁机打出几下太平拳……为什么不能对自己多些挑剔、责备，而对他人多些宽容、忍让？在这个需要合力营造公平、富足、文明、祥和的共享家园的艰辛岁月里，应该首先拂去心上那不与人为善的浮云……李白诗曰："总谓浮云能蔽日，长安不见使人愁。"改三个字："总谓浮云能蔽心，善意不见使人愁。"平仄虽不对榫，喃喃在口总没坏处。

　　过几天，我会去那服装专卖店，买下一件外套，以作特殊的纪念。

碎米步

北京有的地铁站在地面很深处，下地铁只能走长长的阶梯，上地面虽有电动滚梯，却又并非随时开动，尤其令人不满的是，中午有一段时间停开，据说是因为看管电梯的人员要去吃饭。

那天我恰好接近中午到达某站的电梯旁，发现电梯静止未开，伸腕看表，还不到规定的停开时间呀！一位等候在电梯旁的老大娘跟我说："还开——她说让等一小会儿，她方便去了……"跟在我后边的几位乘客和我一样，气不打一处来，议论纷纷："这电梯为什么非得有人看管？""她去方便，就不管我们方便不方便了！""中午人流很旺，怎么偏中午要停开一段？""整个儿设计不合理，这样的高度，怎么能只有往上的电梯没往下的电梯？""谁定的规章？怎么这样荒谬？"……

有那年轻一点的乘客，就叹口气去爬楼梯；但老年人和带孩子的，越来越多地聚集在电梯前头。

"来了，她来了！"最早等候在那儿的老大娘把大家的目光都引向了那位方便完了返回岗位的工作人员。

那是相貌很普通的一位妇女，穿着蓝色工作服；她脸上的表情一时看不清，但她的肢体语言却非常有特点，尤其是，她用碎米步快走，那腰身的摆动，双腿双脚位置的快速倒换，鲜明地使你感觉到，她对自己不得不去方便一下非常地不好意思，她愿意马上竭尽全力地帮助所有等候在电梯旁的人们；及至她用碎米步子跑拢电梯，用手里的钥匙启动电梯时，虽然你还是不大能看见她脸上的表情，但她贯穿在那一系列动作里的肢体语言，丰富生动地表达出了许多意绪："规章是这样的，人离必须梯停；这确实不怎么合理；可咱们这儿的平均公德水平是不是确实还不够高呢？真让这电梯无人看管自动运行，万一出了问题可怎么得了呢？我只是个小萝卜头，您要有什么意见、建议您就往公司反映……反正，让您久等，对不起了！"

电梯启动后，人们陆续登梯向上，没有人跟她发牢骚，她也一直没有出声。我站在徐徐向上的电梯踏板上，眼前还潴留着她那碎米步的肢体语言。我想到有一回在某问讯处的遭遇，那里的规章制度从字面上看天衣无缝、尽善尽美，可是，那位接待我的工作人员却冷若冰霜。是的，我们还有许多规章制度值得推敲、改进乃至彻底改造，但更重要的是，要有能走出这样碎米步的工作人员，那颗泵出鲜血循环全身支撑碎米步的心，是我们社会生活终将提升品质的希望和保证。

青柿子

　　每到深秋时分，总要到远郊山区去探访老赵。老赵原是进城为铺电缆挖沟的民工，后来年纪接近花甲，干不动了，就回老家开了爿杂货店。他家在村口边上，打开南屋后墙就是店面，村里人和路过的司机都是他的常客。他家有棵柿子树，位置很奇特，不在院子里，而在院门外一侧，开店以后，每逢盛夏，那树就成了天然凉棚。那树是他岳父给他媳妇的陪嫁之一，树龄总有三十多岁了。为什么这份陪嫁没栽进院里而戳在了院门外？我问过他们两口子多次，谁也不给我解释，只是笑。连续几年，我深秋去他那儿，名义都是"采摘"，主要就是从那株长得比房屋高半倍的柿子树上摘又大又黄的熟柿子。那棵柿子树树型美，结果多，最奇特的是，柿子一旦黄熟，不用漤，摘下来用手掌擦擦，立刻可以吃，一点也不涩，香脆可口。那树虽然长在院门外，却很少有人偷果子，果熟时节，村里贪嘴的孩子来到树下，老赵会主动发给他们柿子；有路过的人，多半是汽车司机，要买那柿子，老赵就说小店里的东西随便买，这柿子却不是卖的，喜欢，揪几个下来，甚至连带一点枝叶，您拿走，随便！

　　今年我去得早点，沿途的树叶该黄的刚半脱绿装，该红的羞答答并没红透。长途汽车在老赵他们村前头有一站，下了车，我就朝老赵的小店张望，顿觉眼里少了什么；每回秋天从那里一望，总有把高耸的绛红点金的大伞，竖在那厢似在迎候，今天怎么没啦？我讶怪得"咦"出声来，难道老赵把它伐了？

　　我快步朝前去，只见老赵也快步朝我来。我两手刚一握住，我就气喘吁吁地问他：

"柿子呢？"他忙答："柿子还有，还有——你晚来，我就不留了！"我跟他往他家门口走去，猛地看见，柿子树还在，只不过匍匐在了地下，是从主干离地一米左右的地方折断的，那倒地的树冠卧成浑圆的一团，枝杈还有润泽气息，叶片繁茂，大部分叶片还是青色，最骇人眼目揪人心旌的，是那些枝杈上树叶旁满缀着累累青果，果皮还都光亮地膨胀着，仿佛还在努力地把自己撑黄变红……

晌午和老赵坐在他家炕上喝二锅头，他给我细说端详。是头几天傍晚，突然来了阵怪风，那柿子树便"呀"地喊了一声，轰隆从底下折断了。村里还有几棵高树也折断了，都是没墙没屋子挡着，让西北旋来的急风劈断的。他媳妇端炒鸡蛋来，插话说真不吉利，还不整个儿处理了，愣留在那儿好多天，就为等老刘来看稀奇吗？他冲媳妇说去去，你迷信个啥？又对我说，留一阵是舍不得它，这些天村里人，路过的，围观、议论这柿子树的不少。有路过的司机和车里的人说，这都是因为西北边的防风林有大漏洞，叫生态破坏，沙漠在南移，所以起这邪风，把好端端的树给吹折了。镇上管计划生育的另有解释，说是今年这树结果太多了，也是，你刚才看见了，今年它怎么挂了那么多果子？比往年密得多，数量怕多出一倍，树冠太沉了，遇风可不就容易折？合算我这树可以当个宣传计划生育的活教材！也有说这树到岁数了，命该如此，我不服，树老了，该不再结果，我这树你看折断的茬口，皮跟瓤都还筋筋道道的，树汁子酽酽的，香味儿还呛鼻子……

我从老赵那儿带回了一整杈的青柿子，它们在我书房里氤氲出阵阵特异的气息。搁在以往，我用这青柿子写随笔，会把感慨集中在一点上，比如警惕生态恶化，比如任何一种生产都不应贪多以至超过承受能力，比如老龄莫强学少年狂，比如生命脆弱、命运诡谲……但现在我望着这一簇青柿子，闻着它们的体嗅，却觉得平静地叙述出事实，把联想的空间留给读者，才是最恰当的做法。

心仓葡萄

那条胡同很长,当中有家小杂货店,卖的品种很多,包括水果。店主是个中年妇女,微微发胖,嗓门大,特爱笑,服务态度特好,有时候买主提起什么东西她那儿没有,她就赶紧说:"我明儿个就进货,以后少不了您要的!"虽然胡同两边出口外的大街上都有很大的超市,但她这小店生意还是不错,一来总有些买主愿意就近解决问题,二来她那小店柜台前有那么几平米的空间,胡同里的买主,特别是中老年妇女们,常喜欢在那里站着,或倚着柜台,互相聊天,也跟她聊天,那情景真有点像喜鹊闹窝。

我常去那条胡同,里头住着我的一位老朋友,每次去串门,我总要提点吃的去,有时候就在那小店买些水果。那天我进去买水果,店主正跟两位大妈嘻嘻哈哈地聊得欢,我忽然想买葡萄,她那里鸭梨、苹果、香蕉、猕猴桃、哈密瓜甚至芒果都有,唯独没有葡萄,正是葡萄大量上市的季节,怎么不进点葡萄?她脸上没了笑容,却很和善,表情平静如水,对我说:"对不起,这儿不卖葡萄。"我建议:"进点葡萄吧。如今葡萄时兴连皮带籽儿吃,说是常吃能防癌。"她不言语,两位大妈就帮她说:"她什么都卖,就是不卖葡萄。""您以后买什么都尽管来,就是再别提葡萄这两个字儿。"我好纳闷,只好另买了一包天府花生。

跟老朋友就着天府花生,喝二锅头聊天,我说你们胡同那女店主忌讳葡萄,她的生活里一定有什么隐痛与葡萄有关。朋友说她曾经在内蒙生产建设兵团待过好多年,也许那时候发生过什么跟葡萄有关的伤心事,但是她现在很幸福呀,爱人是"的

藤 萝 花 饼

哥"，儿子上初中了，所以整天乐乐呵呵的；又问我："你是想从她的经历里掏腾点小说素材吧？赶明儿你试试，也许她能告诉你。"

那天我从朋友家出来，见在小店里遇上的那两位大妈正坐在一棵大槐树底下拉家常，便凑过去跟她们套近乎，她们让我坐在一个空马扎上，倒是很乐意跟我消磨一段时间，可是问起女店主忌讳葡萄的事，她们也只是知其然，而不知其所以然，一位说可能是下兵团时候落下的心病，一位却使劲摇头，说还是因为回城以后遇上的糟心事。我谢别二位大妈，路过那小店，只见那女店主正因为顾客的一句什么话笑得仰脖畅笑。

好多天以后，我又去那老朋友家，她来送一瓶扬州酱菜，朋友付完钱请她小坐，把我介绍给她，说这位是作家，写小说的，你有什么心事，尽管跟他讲，他能帮你写出来，让读的人跟你一个心气儿，生活得更好。我觉得朋友这样概括作家写小说的动机并不准确，便忙拿话岔开，先问她的生意，又问她爱人孩子，再问她都看过哪些写知识青年上山下乡，以及他们那一代回城后悲欢离合的小说，她说她没看过，我提及的那些作家作品她甚至都并不知晓，她坦率地说她不喜欢看书，只喜欢看电视剧，专看古装的，比如《宰相刘罗锅》、《还珠格格》，她问我为什么不写点这样的电视剧？朋友说了句什么，她哈哈大笑起来，眼角的鱼尾纹快速抖动着。她告辞后，朋友对我说："很遗憾，你们很难沟通，她那伤心葡萄，对你来说是永远的秘密。"

后来数次路过那胡同小店，常进去买东西，她也跟我说说笑笑，成了熟人。她还是绝对不卖葡萄。为什么断定她心中的隐秘是伤心葡萄？她是一个最平凡最朴实的存在，然而她的生命以固守着一桩个人隐私而获得了尊严。她的心仓里贮藏着只有她一个人知其味的，与她今后生命共存亡的葡萄。在似乎什么都可以出卖的世道里，她有绝不展示出卖的心仓葡萄。悟出了她的高贵，从此我对她肃然起敬。

快乐何必无穷大

一家房地产开发商把所开发的商品房品牌确定为"快乐无穷大",想来是为了摆脱动辄号称"花园"、"广场"的命名风气,别出心裁,颇为有趣。

人的生活是否幸福,究竟以什么为衡量的标准?名声?地位?财富?健康?……各人取舍不同,当然,也有想"鱼"与"熊掌"兼得的。不过,现在世界上大多数人都把"安康"作为普适性标准——生活在和平环境里,有一份安稳的工作(如有一桩自己喜欢的事业更好),身体健康,人际和谐,则幸哉福哉。这是从总体上说。从人的心理角度看,人的生命其实是存在于连续不断的情绪之中,甚至于在睡眠时,潜意识里的情绪也依然在螃蟹吐泡般地生灭着。因此,有人提出,快乐便是幸福,"快乐无穷大"商品房名称,由此推衍,无可厚非。

快乐无价。快乐是人的心理情绪中的黄金。笑一笑,十年少("少年"之"少")。笑口常开,安康福泰。追求快乐,享受快乐,是天赋人权。但是,人对快乐的追求,是否有必要推至无穷大的地步?无数前人、旁人的车鉴,都昭示着我们,乐极生悲,纵欢致祸,倘若一个人除了快乐而没有了其余的情绪,那他要么是傻子,要么是疯子,在那种情况下,笑笑笑,至少会导致十年少("减少"健康生命的"少")。

我们常在文章里看到"打破心头五味瓶"的说法。一个生命活体,就其所装载的心理情绪而言,确实很像一个"五味瓶"。哪五味?酸、甜、苦、辣、咸。这是以味觉打比方,直接说情绪,则是喜、怒、哀、乐、怨。其实,"五味"的"五",是

藤 萝 花 饼

言其多的意思，人的心理情绪，岂止五种而已。我们常用的词汇里，把人生际遇和心理情绪合起来说的很多：悲欢离合、爱恨情仇、苦乐忧喜、愁怨嗔怒、愉悦舒畅、生死歌哭……一个健康的生命，他的心理情绪应该是"五味俱全"而又不会"打破瓶子"。难道只保留一味——快乐，或者只保留一类——喜、乐、悦、畅，不是更好吗？我以为，那并不好，因为，人活在世上，应该有正义感，而正义感常常是与对贪污腐败、邪恶堕落的愤怒、鄙夷、痛心等情绪联系在一起的；我们的国歌词曲都很激昂，却不是由快乐的情绪构成，那里头主要是宣叙着民族忧患意识；一个人如果只知自己快乐，而罔顾他人的不幸，对自己所置身的群体漠不关心，特别是缺乏一份对世界和平、环境保护的忧患情绪，那至少是"缺心眼儿"，不是一个健康美丽的好"瓶子"。以上是从大处说。从小处，自己对自己，毫无愧悔内疚，不能体味怀旧的苦涩，不能氤氲出淡淡的哀愁，不知离别或邂逅时的酸辣，缺乏清夜扪心时的惊悚……那么，人生很难说是完整的，而没有全方位的人生体验，人生滋味不全，也就很难说获得了多大的幸福。

人这个"瓶子"里的"五味"情绪，不应该是均等的，更不应该也不可能僵在那里不波动不翻腾，不互相渗透乃至转化。人的心理情绪的健康，其实也就是把"人生五味"阴阳调谐得恰到好处的那么一种状态。这种状态的标志，常常是快乐，特别是"知足常乐"，但也不尽然，也可能是"难得糊涂"，也可能是"为什么我的眼里常含泪水？因为我对这土地爱得深沉"，还可能是"时光惯会把人抛，红了樱桃，绿了芭蕉"式的喟叹，或者是对"同桌的你"的惆怅咏唱……总之，快乐是幸福的必需品，但快乐何必无穷大，因为幸福的滋味不能仅仅是快乐这一种。

一位富翁，他刚从美国拉斯维加斯那边豪赌回来，便到高级俱乐部约朋友先吃鲍翅燕窝，又在夜总会看巴黎"红磨房"式的艳舞，然后是泡药浴、洗桑拿，再全身泰式按摩，再吃港式宵夜，凌晨才驾着名车回到他郊区的豪宅，天亮时，人们发现他淹死在宅后的游泳池里了——经警方调查并非他杀，是否自杀呢？难以判断；而当他还没火化时，与他有关系的一群人已经在为分割其财产而撕破脸争斗了。他仿佛一只气球，把里面的快乐气体膨胀到一定程度后，就陡然崩溃了。这究竟是快乐死，还是痛苦死？

　　相比之下，小康人家、知足人士的快乐，比较扎实，也容易持久。那快乐基本上属于"琐屑的生活小乐趣"，比如全家人共享一只刚熟的沙瓤大西瓜。鲁迅先生是最具有民族忧患意识的伟人，但他反对在切西瓜时牵强附会地去联想到"列强瓜分中国"。能把自己的心理情绪控制得恰到好处，该在什么情况下深刻沉重，该在什么情况下轻松幽默，融入性情，自自然然，那状态，才是真正的幸福吧！

墨黑的山谷

朋友许君曾是搞地质探勘的。他说，有许多次处在那样的一种状态：野外帐篷里的煤油灯捻灭了，同伴们都鼾然入睡了，他一个人披衣走出帐篷，举目四眺，竟是墨黑一片。在那荒芜得只剩砾石的山谷里，绝对没有人烟，当然不可能有半星哪怕是朦胧的灯光。没有月光，没有星光，没有野狼或别的动物闪烁的眼光。渐渐地，随着瞳孔的奋力放大，也许会把那墨黑一片，多少分析出些层次来，仿佛泼在宣纸上的浓墨渝散开来，虽然一味地都是黑，但大体能感觉出哪边是山崖，哪里是谷底，而仰望处必是高远的夜空。往往是，没有兽嗥鸟啼，没有风嘶虫鸣，耳朵里也静寂得墨黑一般。这时的心境，却是格外地幸福、安谧，仿佛有无形的、巨大的双臂，温暖地环抱着自己的身心。

许君现在退休了。他居住在京都。他说，有许多次处在那样的一种状态：登上过街天桥，扶栏环望都会夜晚的万丈红尘，霓虹灯的滚动扫描岂止是姹紫嫣红，远近街灯窗灯岂止是繁星闪烁，而通衢上的车流，这边的前灯连成珍珠链，那边的尾灯缀成红麝串，说不尽的人间繁华，道不尽的声光色电，可是，他心头却不禁会旋出丝丝缕缕的、越来越稠酽的寂寞，往往还会随之派生出一种迷路孩童的感觉，惶惑不安，孤苦无告，仿佛有只无形的、巨大而陌生的手掌，非他所需地，就要落到肩头上来。每当这时，他就觉得，不如回到昔日那墨黑的山谷里去。

我对许君说，一定是你老了，特别是，离开了工作，不能适应赋闲的日子，又特别是不能适应迅疾商业化的社会变化，所以才会对墨黑的山谷生出怀旧之情。他微笑着摇头。

许君退休以后，经济上富裕，老伴和他都还健康，且相处得一如既往地和谐，子女也都成器自立，他对如今社会的市场化走向，从理性上也一直取认同的思路，这么细细一想，我实在也不好率定他心理上陷入了"老年性怀旧拒新情结"。

许君的孙子是个运动员，在国际大赛上获得过金牌。那天我去老许家，恰好金牌得主回去看望二老，说起墨黑山谷的事，那小伙子拍了下手，说："呀！我懂爷爷那时的心境！因为我就是在'墨黑的山谷'里取得金牌的啊！"原来，在决定他是否能破纪录夺金牌的那一段时刻里，他把整个赛场里所有的光影声息都置之于了感官之外，真是"六亲不认一瞬间"，暂时不去想爸爸妈妈、爷爷奶奶、姥爷姥姥、教练领队、母校同窗……眼里只剩下与比赛有关的最简单的点、线、面、体，脑子里只剩下一个"我必须成功"的念头，等到赛完，成绩出来，外部世界才又倏地恢复了色彩声音。但是，伴随着金牌，接踵而至的是闪光灯的强射、马拉松式的采访、走马灯似的庆功活动、亲情友情的瀑布般浇浸……"这种情况下，我就有迷路的感觉，心慌，想找个地缝钻进去……夜里，终于可以一个人睡在黑暗里的时候，我就特别特别怀念比赛瞬间的那个墨黑墨黑的山谷！"

在许君与孙子对视的眼波里，我顿悟，"墨黑的山谷"就是正当而单纯的精神境界，许君那时心里只揣着一个"为祖国找出矿苗"的单纯至极的念头，他孙子比赛时只揣着一个"我必须发挥出水平"的也是单纯至极的念头，在那个单纯的念头里，他们进入了人生最瑰丽的福境。我们各自"墨黑的山谷"在哪里？从没有过的，快快去找！

奖牌出错宜深思

悉尼奥运会的奖牌图案上赫然出现了罗马斗兽场的形象，铸成大错！恰好美国好莱坞大片《角斗士》近期在中国上映，人们从那里可以非常直观地了解到，罗马斗兽场是个多么血腥的地方，以它为符码来象征奥林匹克精神，岂止是闹了笑话，简直是一种亵渎！我六月份去罗马观光，斗兽场给了我很深的印象。那个环形建筑名叫高乐赛奥 (COLOSSEO)，人们俗称它斗兽场或竞技场，斗兽就是驱使奴隶角斗士在场中与猛兽相斗，竞技则绝非赛跑掷铁饼等体育比赛，而是让奴隶角斗士互相厮杀，皇帝、贵族、奴隶主们在看台上，以生命的暴死景象取乐。现在高乐赛奥虽然仅存残骸，望去依旧巍峨雄伟，就像中国的万里长城一样，使我们一方面惊叹奴隶劳动所创造出的建筑奇观，一方面庆幸那段历史中的黑暗已经不会再跑出来威胁普通人的生命。

奥林匹克体育运动，则属于先于罗马的古希腊文明。希腊人信奉多神，主神为宙斯，每年都要举行大祭，后来逐渐形成以竞技方式搞活动的习俗，自公元前 776 年，每四年在奥林匹亚地方举行一次。那时希腊处于奴隶社会，奴隶主压迫奴隶的恶行很多，但这四年一次的竞技活动却并不是让奴隶互相搏杀或与猛兽相斗，奴隶主们围观取乐，而是奴隶主或没有奴隶的自由民自己来开展健康有益的体育比赛，项目有赛跑、赛马、掷铁饼等。竞技活动期间，全希腊实行"神圣休战"，比赛中成绩优异者，被戴上橄榄枝编的花环，还给他们塑像。我们现在还可以看到那时候遗存下来的体现力与美的掷铁饼者等大理石雕像。1894 年在希腊雅典所开创的，每四年一届的现代奥林匹克运动会，正是对古希腊文明中的奥林匹亚竞技活动的自觉承传。历经了一个多世纪的风云变幻，虽在两次世界大战期间被迫停办了三届，到如今奥运盛会已成为全人类的共享文明。

悉尼奥运会奖牌图案出错，首先是没把奥林匹克运动源自古希腊文明这一点搞清楚。古罗马文明也不是没有它的正面贡献，但高乐赛奥绝对不是健康有益的体育比赛的场所，而且，恰恰是在公元 394 年，罗马皇帝明令禁止了奥林匹亚竞技活动。

源于古希腊文明的奥运会，每届都要从雅典采取火种，我们联想到的应该是雅典的神庙，或其他的有关文物，不仅不该去联想到高乐赛奥，甚至还应该主动地与反奥林匹克精神的一切符码自觉地划清界限。奥林匹克运动的精神，其中最重要的一点，就是通过健康友好的竞技活动促进世界和平。可是，甚至包括某些传媒界人士，也对奥运会的精神体会不深，只是觉得这是一桩有趣的热闹事，因此，在他们报导时，笔下、口中便大量地使用着战争用语。当然，词语在长期的使用中，会有词性的转化效应，有些本来是跟战争有关的，如"队伍"、"拼搏"、"异军突起"、"摇旗呐喊"……时下人们见到、听到时已经不大会产生战争联想，使用也无妨。但在词语的选用上毫无约束，一味地使用战争暴力语汇，如"田径场上，烽烟四起"、"火线排阵，兵强马壮"、"真刀真枪，过硬功夫"、"短兵相接，刺刀见红"、"手到擒来，再拔一城"、"捉对厮杀，难解难分"、"壮士断腕，背水一战"、"杀出重围，绝处逢生"……请问，这是不是也和悉尼奥运会奖牌上铸出罗马斗兽场一样，构成了对奥林匹克精神的背离？

如果我们都能从这回奥运会奖牌设计出错引发深思，不仅这一回奥运会进行时能坏事变好事，促使组织者、参与者、报导者、观赏者更自觉地把握住奥林匹克运动的真谛，而且今后的奥运会，也一定能更准确、更充分、更深刻也更生动地把人类的体育文明传统加以弘扬。

四年花开别样艳

　　朋友老唐已经是第四次录下奥运会开幕式了,他说在有生之年,还将继续录下去,等有了条件,还要把磁带录像转换为光盘上的数码信号,以便晚辈长期保存,并且要求晚辈能把他的这项工作,四年一度地承继下去。

　　我原来以为,老唐的这种爱好,仅是因为他喜欢每届奥运会主办国在开幕式上所展示的独特场面与情调,我就向他建议:"为节约起见,开幕式上那冗长的各国运动员入场式,可以不必一一录入。"没想到他激动地向我晃动食指,大声告诉我:"你哪里懂得我的心思——那些刻意准备的节目固然绝不可少,但我所格外重视的,恰恰是各国各地区运动员的入场式!我以为,那实际上是四年一次的'大同预演'!……"

　　老唐给我回放他刚录下的悉尼奥运会开幕式录像,快进到各国各地区运动员在微笑的导引人员后面步入运动场的片段,再恢复正常放映速度,指点着荧屏,更详尽地向我表述他的见解。他说,人类对大同的向往,自古有之,近代社会,像我们中国的先贤,康有为著有《大同书》,毛泽东吟出了"太平世界,环球同此凉热"的诗句;但因对通向大同之路的认知不尽相同,甚或大相径庭,加上还有反人类大同的极端主义作祟,人类至今仍未能遂大同之愿;但理想不灭,需要以坚忍不拔的精神孜孜追求。国际奥林匹克运动,其最重要的意义,就在于提供了一个舞台,每四年一次,以和平、友谊、合作、亲近为前提,使全世界尽可能多的,乃至所有的国家、地区,都暂时抛开纷争，停战休斗，以运动员为各自的代表，以体育运动为方式，来一次"大同预演"。你看这次在悉尼，韩国和朝鲜的运动员在同一面旗帜下，走在了一起；雪白的底子上，一个蔚蓝色的完整半岛图案，多么美丽的象征啊！两国运动员肩贴肩，高举起手掌紧扣的双臂，这是多么令人激动的祥和画面啊！你看，有的国家和地区，只来了几个人，而且，他们似乎没希望在今后的比赛里夺到奖牌，有的恐怕连前十六名也进入不了，有的更会在预赛里便遭淘汰，可是他们穿着本民族的盛装，举着自己的旗帜，依然神采奕奕、精神抖擞！可见奖牌、名次不是第一位的，参与这人类的"大同预演"，显示我们都怀着同一理想——在地球上终将消灭战争、压迫、不平等、不公正，达到"同凉热"的境界，才是最重要的！

经老唐一番点化，再重温这回奥运会开幕式的种种画面，顿感看奥运会的转播不仅是看个热闹，兴趣也不能仅是盯着每天的金牌榜。是啊，今年的奥运会开幕式，既有大洋洲的特殊色、香、味，又更突出了和平、谅解、对话、亲近的氛围，真是四年花开别样艳啊！2008 年奥运会将在哪儿举行呢？如果我们都祈盼能由北京主办，那么，我们是不是都该具有老唐那样的心怀呢？

比金光更耀眼的

人们普遍关注金牌，中央电视台对悉尼奥运会的转播、报导以夺金为重点，这都是可以理解的，只要别"唯金是图"就好。中央电视台这回的转播里，有一条报导，虽是一闪而过，却给了我很深的印象。说的是新独立的东帝汶有举重运动员参赛，当然是头一回，那运动员在报名参赛的名单里，按成绩排在 21 人的最后，他那成绩比排第一的运动员低了 147.5 公斤，比第 20 名也还低了 52 公斤，这样的水平，别说夺牌无望，就是争个倒数第二，也绝无可能，但那位运动员精神焕发地参加了比赛，当他举起自己所要的重量，超过了自己的报名成绩时，自己激动，在场的观众都为他热烈鼓掌祝贺，其他运动员也都为他叫好，那一瞬间，国际奥林匹克精神，在举重馆里熠熠闪光，比金牌的光芒更耀眼，更艳丽。

我在另一篇文章里提到，奥林匹克运动，具有人类"预演大同"的意义。对于这次的悉尼奥运会，我们尤其应该多多注意到它在促进人类亲和方面的若干特点。这是第一回在大洋洲举行的奥运会。有若干新的国家第一次参加奥运会。而在开幕式上，其实已经出现了本次奥运会最大也最重的一块金牌——韩国和朝鲜的运动员同举一面白底子上有完整的蔚蓝色朝鲜半岛地图的旗子，携手列队入场，而且穿着相同的服装，胸配与那旗子相呼应的徽牌。这情景拿金牌作比喻其实也未必最恰当，现场所闪耀出的和平、理性的光辉，比金光更加耀眼。也有偶发的事件，很不幸——正当奥运会刚刚开始各项比赛，国际奥委会主席萨马兰奇的夫人玛丽亚·特雷萨突然在西班牙家中去世,她虽然已有多年与癌症斗争的病史,但偏偏在这个当口撒手人寰,确实令人生发出更多的悲痛与感慨。萨马兰奇匆匆赶回巴塞罗那为夫人落葬,事毕,还要再返回悉尼,继续主持本届奥运盛会。这是个悲剧,但也照亮了萨马兰奇献身于国际奥林匹克运动的一生业绩,闪烁出比金牌更耀眼的光来。

夺牌当然要报导,涉及到中国运动员可能夺牌,特别是能夺到金牌的场面及相关信息,如背景资料、赛后专访、对国内家人及启蒙者的访谈等等,我想大家都是感兴趣的,缺了不可,少了遗憾。但是,过多过长,来回来去地重复,也就难免生腻。有的传媒人士,把金牌看得过重,采访获得银牌的运动员时,一句逼一句地追问人家"遗憾不遗憾",真想拉她过来问:"你没得过最佳记者称号,你遗憾不遗憾? 以不是最佳记者的身份进行采访,你遗憾不遗憾? 这么采访你也不可能成为最佳记者,你遗憾不遗憾? "她对自己如此不佳丝毫不感觉遗憾,却对人家取得了世界级银牌说出一连串遗憾,真不知她心中除了金子,还装得下什么? ! 还有的传媒偏把某运动员母亲的一句"她不得金牌回来我不到机场接她"当做新闻加以渲染,其实那很可能只是一句戏言,该运动员后来夺得了铜牌,虽非金而铜,却非同小可,因为是我国在该项目上的重大突破,你说这记者的报导起了个什么作用? 无论对那运动员,对其母亲,对其教练员,对其队友,特别是对广大的读者,都起的是反作用!

悉尼奥运会正渐入佳境,我们欢迎传媒对夺牌特别是夺金牌的报导,但也期盼着报导者能摆脱"金牌迷恋"的"症候",把那比金光更耀眼的人与事,多多展现给我们!

只取一瓢饮

赵颖慧的赛场失利，有人指出是因为媒体过分热情地预先涌塞到她家，而且让她知道父母已在传媒的"围城"之中，结果造成她心理负担过重，没能发挥出水平。蔡亚林的成为"黑马"，有人指出是因为传媒原没将他盯在眼中，心理上无甚负担，所以能情绪镇定地专注靶心。这些分析都有一定道理，但运动员在比赛当中的心理状态，究竟怎样才算最佳？恐怕不能以一个简单的模式来概括。陶璐娜比赛时，传媒也盯着她以及她的父母和启蒙教练，而且那是在赵颖慧铩羽之后，施与她心理的负担，当然更重，可是从夺到金牌后，她接受记者采访时的淡淡微笑、从容应答中，我们不难揣测出，在举枪临射的一瞬间，她是心静如水的。

我也曾与一些运动员交谈过。一位金牌得主告诉我："在决定成败的那一瞬间，我是六亲不认的！"这话我久久不敢引用，怕有人生出误会，给他带来麻烦。其实，现在细想，对运动员心理上影响最大的，正是所谓的"六亲"，倘若临赛的一瞬间，又想着要对得起父母，又想着要对得起领队教练，或者从细微处去想，爷爷奶奶那么大年纪，身体又欠佳，还能看我几次拼搏呢？再从大处去想，祖国的期望，人民的嘱托……即使这些念头都是很健康很合理的，而非"得了奖牌便能有奖金分房子"之类的"杂念"，但"六亲"的六根线头从不同角度那么一扯一扯的，原来再佳的心理状态，恐怕也就难免被弄得"剪不断，理还乱"，在那种情况下投入比赛，一瞬间的失误，造成一段时间乃至一生无可挽回的恨事，也就在所难免了。

　　"六亲不认一瞬间"，换个说法，庶几近于"六根清净"，这是佛家语汇了；难怪有人说运动员的最佳心理状态是能进入"禅的境界"。

　　但也不尽然。有的运动项目，决定胜负不是在一瞬间或几个瞬间，像铁人三项比赛，运动员不仅要经过相当长的历程才能决出名次，而且要经历三次空间转换及角色变化，在这样的情况下，头脑里不可能全是"禅悟"般"空无"，尤其在最后的冲刺阶段，很可能心理上会形成一个"固置点"，头脑里满溢着某个单一却浓酽的念头。这回悉尼奥运会上，把澳大利亚人原本以为是囊中取物的女子铁人三项金牌，出人意料地夺到手中的瑞士选手麦克马洪，从她获取金牌后马上将三岁爱子揽抱怀中，以及向记者们由衷地倾诉对她丈夫兼教练的感谢，我们可以大体上猜测出来，她在比赛中恰恰不是"六亲不认"，而是从心理上充分吮吸亲情的营养，才士气大振，威风八面的——当然，在"六亲"中，她是突出着夫、子二亲的；她一定也爱众多的瑞士同胞，但"任凭若水三千，只取一瓢饮"，她的这种良性心理，或者也能归入"禅境"，只不过不是"空无"那一派苦修禅，而是更具人情味的"不修自有禅"。

　　"只取一瓢饮"，换句话说，也就是心理状态要单纯。美国姑娘南希·约翰逊因为开幕式第二天要参加射击比赛，不得不放弃参加开幕式看个大热闹的乐子，开头，她为此悻悻然，很有点不甘心，可是，她的教练跟她说："如果你明天能精神抖擞地夺到金牌，那会彻底改变你的一生。"这句话真灵，她就抱着"我要以金牌改变一生"的单纯想法，回到寝室去安然入睡了，香甜一觉后，第二天她果然大爆冷门，在开始落后的情况下，超过韩国名将而一举夺魁，而且，她那块金牌成为了这次奥运会产生得最早的一块金牌，当然也是美国获得的头一块金牌，她的一生，确实也就从此开始有了重大转折。

　　运动员的这些瞬间或较长赛程里的心理状态及其得失，对我们一般人来说，也很有参考价值。人生是个大赛场，从某种意义上来说，我们都是向往和努力去获取成功的"运动员"。"任凭弱水三千，只取一瓢饮"，这一瓢应该是什么？要根据各自的情况，去慎重选定了。

心里美

北京有一种特别适宜生吃的水萝卜，俗称"心里美"，一般是绿色外皮，切开以后，里面红艳艳的，咬上一口，脆甜生津，秋季尤多，物美价廉；一边嚼着"心里美"，一边观看悉尼那边春日奥运会的专题节目，可谓其乐融融。

奥运会各类项目的比赛逐步展开，名次奖牌也陆续决出闪烁，不知别人是怎样的眼光，我呢，对某些金牌得主，倒并不怎么欣赏，对得银牌、铜牌的，乃至某些竞赛中的失败者，倒颇觉有一种难得的美感。这里所说的美感，主要还不是外在的身体健美，而是其精神状态，尤其是心理健康方面的表现，令人产生出愉悦，生出羡慕钦佩之情。

体育比赛，比的当然是速度、高度、力度方面所达到的水平，但同时，也在比心理素质，比精神面貌。一般来说，运动员的竞技水平，与其心理素质水平达到同等高度时，方有破纪录、获奖牌的可能，但也不尽然，有时运动员竞技水平临场发挥较好，心理状态稍差，也可能获得奖牌，比如，我们从转播的场面上可以看到，有的运动员下意识的小动作不少——咬唇、吐舌、皱鼻、耸眉、摸耳、挠腮、咽口水、猛眨眼……这说明他或她在比赛过程中心理状态并不是特别地好，但通过压抑杂念，在关键时刻将其技艺发挥出来，最后还是得到了奖牌，对这样的运动员，祝贺还是要祝贺，但在审美上，却只能是将其往后面排了。还有的运动员，比赛中精神面貌还不错，可是最终未能夺魁，只得到银牌或铜牌，发奖时，站到领奖台上，满脸不高兴，给他或她发奖牌、献鲜花时，也不对发奖者献花者哪怕是礼貌性地微笑致谢，金牌得主伸出手来向他或她祝贺，只是勉强懒懒应对，还没等升完旗、奏完乐，就仿佛浑身不舒服，急着要跳下台离去……这样的运动员，不管他或她有什么"道理"（对冠军不服气、觉得裁判不公、感到辜负了谁谁的期望），把自己糟糕的心理状态如此这般地展示出来，实在是离美太远而近乎丑了。

奥林匹克运动应该既是人的体能健美的大展示，也是人的心理精神健全的大流溢。我们应该对那些把身体与心理的健美一起充分展示的运动员大加赞赏，以他们为榜样，激励自己，完善自己。在领奖台上，这样的场景是最瑰丽的：金、银、铜得主互相真诚地握手、拥抱，大家都把自己获得的奖牌自豪地捏在手里，举起展示，当响起金牌得主国家的国歌、升起相关的国旗时，银牌、铜牌得主也都面旗肃立；发奖仪式结束，他们大方潇洒地跳下奖台，微笑着向各方面人士招手致谢……奥运会是桩百美云集的盛会，看转播，翻报纸，乱花迷眼，美不胜收，但是，我要说：论美，最美莫过"心里美"！

欣赏田赛

悉尼奥运会的电视转播，又将给我们带来许多的快乐。一般来说，如今人们比较喜欢观看的项目，一是自己国家运动员有望夺牌的，二是具有直接对抗性的球类比赛，这也难怪，像射击、射箭等项目，从电视转播上简直看不出一点外在的激烈，甚至场面非常冷清，成绩出来得很慢，倘若不是有自己关心的运动员在参加比赛，恐怕没有谁会盯住去看。但是，人们对田赛的冷落，却是一桩遗憾的事。

田径场上，径赛属于同时空的并肩性速度对抗，刺激性强，往往即使自己国家的运动员没希望入围、夺牌，也很愿观赏。田赛的竞技虽同空间却不同时间，要一个一个地轮流上阵，费好大工夫，到最后才分晓名次，我们国家在田赛方面实力较弱，因此转播得不够积极，乐于欣赏的人也不是太多。

奥林匹克体育运动，溯至其源头，是古希腊的奥林匹亚运动会，那时，田赛是最重要的竞技项目，也是人们观赏的热点。田赛一是跳高与跳远，一是投掷铁饼、标枪——后来又加上了铅球、链球。以更高、更远为目的，决出名次，只是比赛的一方面属性，另一方面的属性，则是在跳跃与投掷中，显示人体美。古希腊时的以体育为时尚，完全没有朝名次这一个方面倾斜，甚至可以说，那时更看重运动员力与美的结合，运动员在竞技场上不仅应显示出自己的速度、高度与远度及力度，更应该显示出挺拔而又灵活的躯体、筋腱富于弹性的四肢；那时还只是男子的竞技，所以又特别讲究阳刚之气，运动员除了以布块遮蔽生殖器官，基本上裸身，还特别要以宽阔厚实的胸大肌、收缩自如的腹背肌、斜方肌等部位，令观众获得人体健美的至高享受。那时对获胜者的奖励，不仅是给以奖品，也不仅是挂上月桂树的香枝花环抬起来游行，而是还要让雕塑家给他们塑像，把那力与美的完善结合在大理石上凝固下来，以为万世之赏。我们现在仍可看到公元前五世纪左右，当时大雕塑家米隆的名作——《掷铁饼者》，据说传至今天的已非原作而是罗马时期的仿作，但摹制得极好，把古希腊奥林匹亚体育的雄风，以急剧的动态与瞬间的平衡，充分地展示在了我们眼前。

国际奥林匹克体育运动发展到今天，成绩很大，但派生出的问题也不算太少，比如，为了获取奖牌，从运动员选材上下的工夫越来越偏，不少运动员给人既不健更不美的感受；更可怕的是服用兴奋剂或使用其他反健康的手段，唯"成绩"是图，其颓风竟有愈演愈烈之势。"更高，更远，更快"的提法并不错，但看来还应该加上"更健美"——附带说一句：现在流行一种尚未纳入国际奥林匹克运动会项目的健美运动，那里面问题也不少，往往把人体变成了肌肉大堆积，健未必真健，而离美远矣！——我们现在应该返璞归真，回归古希腊的健美标准，在《掷铁饼者》雕像前，我们值得一再深思！

相对而言，现在的奥运会里，田赛运动员的古典健美程度，还是比较高的，而且在跳远跳高，特别是三级跳远和撑杆跳远，以及各种投掷项目里，不仅有力度的展示，也有瞬间速度的辉煌，是很值得凝神欣赏一番的。愿这回中央电视台对悉尼奥运会的转播能给田赛充足的篇幅，也愿能有更多的田赛观赏者涌现。

跑道上的诗篇

　　田径赛对于奥运会来说，好比一台戏曲晚会的压轴戏、一台宴会的主菜、一个风景区的主景点，这是因为奥林匹克运动的比赛项目，本是以田径为基础，衍生出其他项目的；而且田径方面的训练，也是从事其他项目的运动员的必修课；即使抛开这些因素，田径赛本身是最具观赏性的，它将人类挑战自身极限的意志之美，将人类向更快、更高、更远、更有力、更健美目标的不懈追求，直截了当地展示出来，瑰丽辉煌，令观赏者心醉神迷。

　　我已经专门写过一文章，讲田赛之美。这些天悉尼奥运会田径场上非常热闹，而酱红色跑道上的径赛，尤其夺人眼目。百米决赛中，尽管男、女飞人这回都没有破纪录，然而那场面还是非常激动人心。现在的视听技术非常发达，可以把赛跑的全程从各种不同的角度，以各种速度拍摄放送，还能分别配上不同的音乐，你看那画面，跑道成为了五线谱，而运动员便是谱线上移动的音符，谱出的是健美的诗篇，有力而又轻盈的脚步构成和谐的旋律，冲刺的身影是铿锵而芬芳的韵脚。有的比赛是在悉尼特有的春雨中进行的，裁判等工作人员都套上了雨衣，运动员们却依然是短裤背心，在跑道上，他们活像在雨丝中翻飞翱翔的海燕，诗意更浓更醇。

　　这回悉尼奥运会，赛事刚至一半，而我们中国体育团已是"大珠小珠落玉盘"的丰收局面，原来人们所设想的金牌数目，至此竟已超额，这当然是可喜可贺之事。但是，我们也应该冷静地看到，我们在一些主要的比赛项目上，相对就还显得落后。

以大球类项目而言，我们的男足、男排、女篮、男女手球根本就无缘赴澳，而去了的女排、男篮都暴露出技不如人、心理浮躁的弱点，临场也没把自身的优点发挥好，而女足又运气实在不佳。我们的女排曾经连续辉煌过一阵，现在是落入了低谷。倘若我们对金牌无所谓也罢，但这两天一份报纸上的大字标题便是《夜晚围坐算金牌》，那么，一个体育大国如果在大球类比赛上没有金牌，我们在点数已有的金牌之余，对此是不能不有所惭愧，不能不引发深思而去奋力补救的。

说到田径，我们这方面本来就总体不强，原来辉煌过的女子长跑，这回也不乐观，那一个月前还令人们寄予厚望的某"家军"，竟偃旗息鼓，根本没有到场，令人闷闷然。悉尼跑道上的诗篇，缺少我们运动员构成的美丽音符。

中华民族在奔跑上的才能，是无可怀疑的。古代传说里的夸父逐日，《封神演义》里的土行孙、《西游记》里的孙悟空、《水浒》里的神行太保戴宗……也许他们那飞速移动的方式不符合现代体育比赛的规则，但这些妇孺皆知的形象，都融铸着我们民族源远流长的对开掘人体速度的不懈向往。在今后的奥运会上，中国运动员定将在跑道上谱写出骄人的瑰丽诗篇。

莫把"残酷"挂口头

在奥运会的报导、评述中，最近常常出现"残酷"这个字眼。其实这个字眼在我国以往的体育话语里出现的频率就很高。

"比赛是残酷的。""结局是残酷的。""这对他（她）是很残酷的。""这对我们是够残酷的。"……乃至"体育运动就是这样残酷。"《现代汉语词典》里对"残酷"一词的解释是"凶狠冷酷"。难道体育运动，特别是奥运会这样的全球性盛会，说到头，其本质竟是凶狠冷酷吗？

有的运动员、教练员，或者一般看客，针对运动场上自己不愿面临的失败，用"比赛是残酷的"来表达一时间的情绪，是可以理解的。这时他们口里的"残酷"一语，其实已经偏离了"凶狠冷酷"的意思，主要是想表达"机会一去难复返"、"冠军只有一个（虽然偶尔会两个并列）"、"游戏规则就是这么严格，不可通融"、"从此以后只好告别赛场"……心绪，我们姑妄听之，不必深究。但有的体育官员、传媒人士在就体育比赛发言时，爱把"残酷"一词挂在口头，这就不大恰当了。

针对体育比赛，动辄口吐"残酷"二字，我以为是不够健康的心理。世界上什么事情是残酷的？侵略战争是残酷的，南京大屠杀是残酷的，法西斯主义是残酷的，奥斯维辛集中营是残酷的，恐怖主义是残酷的，劫持人质是残酷的，杀人越货是残酷的，贩卖人口是残酷的……而体育运动，就本质而言，是最符合人性，最有利于人的正常生存与发展，并且不断提升着人的物质与精神品质，而且是富有审美意味的，是与文学艺术相通的，离凶狠冷酷最远的事情。至于体育比赛，尤其是国际奥林匹克运动，虽然要排名次，为冠、亚、季军颁金、银、铜奖，并且在发奖时还要特别为冠军升国旗、奏国歌，但这绝不意味着没有名次的运动员，没夺到奖牌的国家与地区，就失却了自己的价值，更不能与被侵略、被殖民、被压迫、被欺侮等同，对比赛中的失利方、失败者而言，不存在遭遇残酷的问题，相反，参与这样的体育比赛盛会本身，即使排名最后，抛开一时的情绪，从总体上来说，也应该是感到快乐、幸福的。这回奥运会上赤道几内亚姆萨巴尼在游泳比赛中"孤独求败"的一幕，就集中体现着现代体育运动那亲切温馨的本质。有人说，体育运动是人类把战争游戏化的产物，这个说法究竟在多大程度上站得住脚，是需要质疑的。考察奥林匹克运动的起源，我们可以发现，那不但不是战争的游戏化，恰恰是全境停战的一种祈祷和平的欢乐方式。

　　针对体育比赛，动辄把"残酷"挂在口头，甚至得了银牌没得金牌也大呼"残酷"，那是因为心理上有种"拜金综合征"，要么满脑子里淤塞着狭隘的民族主义情绪，要么算计的全是名次、奖牌能给自己带来的暴名厚利，克服这种不健康的心理状态，首先应该做到的，就是莫把"残酷"挂口头。

丰富我们的肢体语言

重温这回悉尼奥运会开幕式的录像，觉得在各国运动员入场的段落里，我们中国代表团的入场表现，端庄有余而活泼不足，虽然兴奋却缺乏激情，更简单地说吧，就是肢体语言比较匮乏。这也并非头一回给人这样的印象，坦率地说，在类似奥运会这样的国际性大交流中，总体而言，在以面部表情及语言来表达自己的情感方面，我们的能力还不能算低，而在以肢体语言来释放激情表达意愿方面，我们的参与者就往往显得有些个木木呆呆了。

我们可以看到，北美西欧等地的运动员，他们出现在开幕式上时，肢体语言十分丰富多彩，手臂的活动圆周、腿足的跃动频率都很大，乃至腰部、胸部，也都会扭动起伏地"说话"，除了我们已经看熟的打 V 形胜利符号、播撒飞吻等"语汇"外，还时不时会有很个性化的活泼"新语"显现。非洲、拉丁美洲的运动员则往往会在肢体语言上突显其民族特色，或桑巴舞步，或丛林风韵，奔放热烈，过目难忘。有些中东、东亚国家的运动员或许在肢体语言上较为含蓄蕴藉，但他们的极具民族特色的服装弥补着这方面的不足，不像中国运动员，服装基本上全盘西化了，肢体语言却还没提升到自觉设计、发挥的程度，因此看起来过分矜持，好比花虽美丽却不能开圆，多少是桩遗憾的事。

运动员在赛场上，每当赛完一个段落，比如体操比赛从器械上落稳在地后，离开垫子回到教练、队友身边时；再比如足球比赛灌进对方网窝一球后、乒乓球比赛中赢得一分后……都会有自觉的肢体语言产生，有时还会形成与教练、队友的肢体对话，甚至于形成搅作一团的肢体"群语"——这在足球比赛里出现得最多；在这方面，中国运动员在使用肢体语言的频率上，似乎并不比别国运动员低落，但"语汇"上，模仿别人的较多，具有我们本民族特色的较少，而特别凸现运动员个性的，虽然有，总体而言却还是稀罕。运动员的魅力，除了其在比赛中的杰出表现外，其外貌、风度、谈吐包括富有个性的肢体语言习惯，也是构成的因素。我们有理由祈盼，我国运动员在肢体语言方面，也能更加丰富，更增添魅力。

体育比赛是一种不能离开观赏者的文化行为，而观赏者，面对着激烈的竞赛场面，不能不分化为不同赛方的拥趸者，也就是，不能不分别参加为各自拥趸的参赛者呐喊助威的"拉拉队"，而"拉拉队"除了以狂叫或吹喇叭、击鼓等声浪表达意志，肢体语言的充分运用也是极其重要，甚至是更为重要的。我们中国血统的"拉拉队"，在肢体语言的使用上现在自觉性很高，尤其是球迷"拉拉队"，既有很个性化的肢体狂舞，也能以"人浪"来"遣词造句"，但总体而论，似乎也还是借鉴别国"拉拉队"的"词语"、"句法"较多，而能凸显中华民族自身文化传统特色的成分较为单薄。从这次悉尼奥运会的电视转播场面上，我们可以看到日本"拉拉队"成员身着和服，舞着有日本徽号的折扇，其肢体语言里糅进不少日本歌舞伎的成分，煞是跳眼，这不仅对赛场上的日本运动员是莫大的鼓励，也向世人展示了日本文化。我们中国的"拉拉队"，只是一味地摇晃五星红旗，肢体语言未免显得贫乏了。为什么不从比如说京剧武生的"拉云手"，以及舞蹈"阿细跳月"等中华民族独有的文化里汲取营养，来大大丰富我们"拉拉队"的肢体语言呢？

洁爽的赛场

世界各地的体育比赛场地,虽然外观上有些不同,但从电视转播看在那里面进行的比赛,就往往觉得差别有限,有时候半截打开电视,只见屏幕上显现的看台人头攒动,场子里运动员奋力角逐,而看台边悬挂的无非是些可口可乐、阿迪达斯、索尼、佳能的大幅广告,一时真不知那比赛是在何处的赛场;同时,也不禁生出这样的感慨:跨国资本果然厉害,它能以其广告符码,使全球的体育场馆如此这般地面貌相似!

这回从电视上看悉尼奥运会的赛事,开始还混沌不觉,后来就总觉得眼睛对赛场的感受有点异样,前两天爽性用一段时间撇开运动员单单去注视那场地,于是发现:无论哪个赛场,几乎都没有大幅的商业广告出现,尤其是观众席与比赛区之间的护拦板上,全然没有一幅广告,怪不得视觉上感受到一种难得的洁爽呢!这段时间里,有的电视台也还播放些另外的体育比赛,有时刚打开电视机,闪出那样的场面,我要点换别的频道,家人叫道:"别换!看奥运会最新情况!"我就得意地宣告:"那绝不是悉尼奥运会,请注意,场地周围挂满了广告——"说着点换为关于奥运会的节目,又得意地指出:"看清楚:悉尼赛场是不挂广告的,一水的蔚蓝色格调,洁爽得很吮!"

随着跨国资本的活跃,商业广告在全球可谓是无处不在、无孔不入,而且,占据空间最多的,似乎总是那么几大家。我7月份去英国伦敦访问,专门在一个晚上去了有名的皮卡迪利广场,我本想领略一番十足的英伦风光,没想到那广场周遭的建筑物上，整面墙是巨大的滚动式霓虹灯广告，那些广告竟并没有英国自己的品牌，最大、最刺眼的一块是美国的可口可乐，另一块是日本的索尼，我拍下的照片，回国后印出来给亲友们看，他们都说这哪里是伦敦呢，怕是纽约或者东京吧？我只能苦笑。

奥运会并不是大型的慈善活动，而且，说穿了，它既是大型的体育活动，也是大型的商业活动，它所期盼的经济收益，主要还不是门票收入，这回悉尼奥运会的门票销售打破了历届奥运会的纪录，但所得与所投入的，那差距还十分地遥远，它的最大的经济来源，是商业界特别是跨国公司的巨额赞助，但人家既然赞助了你，就有广告要求，在比赛场地悬挂其广告，本来已经成为了约定俗成的"行规"，悉尼奥运会却能一方面拿赞助，一方面破除陋习，不在赛场悬广告，还运动员和观众一个洁爽的空间，这一着，真了不起！为此，应该给悉尼奥运会组委会一枚大大的金牌！

赞助商给了钱，不在赛场悬挂广告，那么，怎么向他们交代？是否把应挂在赛场内的广告都挪到了大街上、摩天楼顶上？从电视里的悉尼街景，特别是海港夜景镜头里，我们并没有发现类似伦敦皮卡迪利广场那样的巨幅广告，给我们视觉上印象最深的，还是大铁桥上那巨大的奥林匹克五环在熠熠闪光。据说，澳大利亚人采取了一个聪明的办法，他们将赞助商的广告，以广告车的形式，择时在大街上行驶展示，能放能收、能多能少，效果很不错，赞助商满意，赛场也得以洁爽到底。倘若 2008 年北京能如愿举办奥运会，悉尼的这份经验，是否值得好好汲取？

落赛无对手

悉尼奥运会渐近尾声。我们从电视和网络上看到了乱花迷眼般的紧张比赛，也看到了温馨优美的停赛场面。在男子游泳四百米接力赛中，美国队与东道主澳大利亚队奋力拼争，最后美国队夺得金牌，落赛后发奖时，获得银牌的澳大利亚队员热情地与金牌得主美国队队员握手祝贺，而这时看台边的美国游泳队其他队员打出了大横幅："2000 悉尼，感谢澳大利亚！"在女子体操单项决赛中，此前的团体与个人全能比赛里都因失误而败落的俄罗斯名将霍尔金娜，调整好了心态，在高低杠上大展风采，以高分获得金牌，她在激动地亲吻了高低杠后，转身就去主动地与获得银牌与铜牌的中国姑娘贴脸相贺，后来在领奖台上，我们看到三位奖牌得主都站在最高处，肩并肩地展示奖牌、高举花束，向全场观众摇臂致意。在田径场上，率先冲过终点线的金牌得主与第二、三名相拥共庆。诸如此类的镜头，不胜枚举。这都是国际奥林匹克运动精神的生动体现。比赛的过程里，运动员互为对手，甚至可以夸张地说，是冤家，"不是冤家不聚头"，而且必须各尽其力其技，争先恐后，决名次，争奖牌，当仁不让，心硬手不软，"咬定青山不放松"；但一到落赛时刻，从金牌得主，到最后一名，互相间的对手关系立刻解除，岂但不再是冤家，那有幸参与同一届奥运会、同一场比赛的人生经历，使他们都具有了"同窗"、"同科"的宝贵情谊，天亲地亲不如人亲，即使做不到一一握手拥抱，对所有的"同窗"、"同科"报之以真情微笑，才不愧是奥运会的一名参赛者。

悉尼奥运会开幕式极为成功，好评如潮。闭幕式怎么样呢？有一点早已确定，甚至是早在四十四年前就已确定——运动员将不分国籍地步入运动场，与看台上也不分国籍的观众一起，欢呼又一次"人类大同预演"的圆满成功！怎么会在四十四年前就确定了运动员不分国籍入场的原则呢？在这里，我要首先检讨自己的疏忽——我在《比金光更耀眼的》一文里，有句话说得不对，我说奥运会是头一次在大洋洲举行，现在我知道，其实不是第一次，1956 年在澳大利亚墨尔本举行过奥运会，正是在那次奥运会期间，当时还只有 17 岁的华裔男孩约翰·闻向当时的奥运会主席写信提出了那"四海一家皆兄弟"的闭幕式入场方案，而且终于得到了采纳。这个好传统应该继承，2000 年在悉尼奥运村里，有条街就命名为约翰·闻街，在闭幕式上，已经 61 岁的约翰·闻作为贵宾，与大家一起同享"落赛无对手，四海皆兄弟"的盛况。当焰火照亮了悉尼，并且也通过荧屏映照进我们胸臆时，我们是不是该说：现在，对什么是奥林匹克精神，有了更深入的理解啦！

附录一 刘心武文学活动大事记

1942 年

6 月 4 日生于四川省成都市育婴堂街。

后在重庆度过童年。

父母兄姊均热爱文学艺术，深受家庭熏陶。

1950 年

随父母迁居北京，从此定居北京。

在隆福寺小学上小学，在北京 21 中上初中。

1958 年

在北京 65 中上高中。

给若干报刊投稿，屡被退稿。

8 月，在《读书》杂志发表《谈〈第四十一〉》一文，是投稿第一次成功。

1959 年

在《北京晚报》"五色土"副刊陆续发表一些儿童诗、小小说。

为中央人民广播电台少儿部《小喇叭》（对学龄前儿童广播）编写若干节目；其中快板剧《咕咚》经编辑加工、录制后大受欢迎；"文革"中录音带被销毁；1991 年重新录制播出。

1961 年

毕业于北京师范专科学校,分配到北京 13 中任教。

至"文革"前,在《北京晚报》《中国青年报》《人民日报》《光明日报》《大公报》《北京日报》《体育报》《儿童时代》《大众电影》等报刊上发表了约 70 篇小小说、散文、杂文、评论等文章。

1966—1976 年

"文革"中,因 1964 年曾发表过一篇关于京剧的文章,以"反江青"罪名被冲击。

1974 年后再试写作,曾写一关于"教育革命"的长篇小说,由出版社联系获准脱产修改,但终未达到当时出版要求。

1976 年

写出一个大院里孩子们同坏蛋斗争的中篇小说《睁大你的眼睛》并得以出版(北京人民出版社)。

又按照当时政治要求写出一些短篇小说、散文,有的到次年才收入多人合集中出版。

调到北京人民出版社(后恢复"文革"前社名:北京出版社)文艺编辑室当编辑。

1977 年

11 月,在《人民文学》杂志发表短篇小说《班主任》,产生重大影响——被认为是"伤痕文学"的开山作,也是"新时期文学"的发端;从此成名。

从《班主任》后,写作冲破懵懂,沿着认定的方向跋涉,穿越风云,锲而不舍。

1978 年

参加《十月》杂志(开始以丛书名义出版)创刊工作,在创刊号上发表短篇小说《爱情的位置》,经转载和广播,影响巨大。

在《中国青年》杂志上发表短篇小说《醒来吧,弟弟》,反应亦极强烈。

《班主任》《爱情的位置》《醒来吧,弟弟》均被改编为广播剧,由中央人民广播电台多次广播,《醒来吧,弟弟》被搬上话剧舞台;此年发表的短篇小说《穿米黄色大衣的青年》亦由电台播出。

1979 年

在首届全国优秀短篇小说评奖中《班主任》获第一名。颁奖会上，从茅盾先生手中接过奖状。

参加中国作家协会第三次全国代表大会，被选为中国作家协会理事。

成为中华全国青年联合会常务委员，至 1993 年卸任。

9 月，参加中国作家代表团访问罗马尼亚，此系"文革"后第一个作家出访团。

在《人民文学》杂志发表短篇小说《我爱每一片绿叶》，写作技巧有长足进步。

1980 年

调至北京市文联当专业作家。

《我爱每一片绿叶》获 1979 年全国优秀短篇小说奖。

《看不见的朋友》获 1954—1979 年第二届全国少年儿童文学创作奖。

在《十月》杂志发表中篇小说《如意》，其弘扬人道主义的追求引起争议。

出版《刘心武短篇小说选》(北京出版社)。

1981 年

在《十月》杂志发表中篇小说《立体交叉桥》，引出更大争议，一些评论家认为"调子低沉"是步入了写作上的歧途，另有评论家则认为此作标志着刘心武的小说创作在反映现实、探索人性及艺术工力上均达到了新的水平。

5 月，应日本文艺春秋社邀请访问日本。

1982 年

应导演黄健中之请，改编《如意》；北京电影制片厂拍成彩色艺术片《如意》。

1983 年

11 月，参加中国电影代表团赴法国，在南特"三大洲电影节"上，《如意》在开幕式上放映，获好评；后陆续在法国、西德电视台播出。

1984 年

冬，应邀访问西德，参加"中德大学生会见活动"，并在波恩大学、波鸿大学与威尔兹堡大学介绍中国当代文学。

年底，参加中国作家协会第四次全国代表大会，再次当选为理事。

在《当代》文学双月刊第5、6期连载长篇小说《钟鼓楼》。

1985 年

出版长篇小说《钟鼓楼》（人民文学出版社），并获第二届茅盾文学奖。

因《钟鼓楼》获北京市政府嘉奖。

7月，在《人民文学》杂志发表纪实小说《5·19长镜头》，反响强烈。

11月，又在《人民文学》杂志发表纪实小说《公共汽车咏叹调》，引起轰动。

1986 年

年初，应当代文艺出版社邀请访问香港。

6月，调中国作家协会人民文学杂志社，任常务副主编。

在《收获》杂志设《私人照相簿》专栏，进行图文交融的文本尝试。

散文集《垂柳集》出版，冰心为之作序。

1987 年

1月，被任命为《人民文学》杂志主编。

2月，《人民文学》杂志1、2期合刊发表马建写的小说《亮出你的舌苔或空空荡荡》违反民族政策，承担责任，停职检查。

9月，复职。

冬，应邀赴美国访问。参观美洲华侨日报；在哥伦比亚大学、三一学院、哈佛大学、麻省理工学院、康奈尔大学、芝加哥大学、旧金山大学、斯坦福大学、伯克利加州大学、洛杉矶加州大学、圣迭戈加州大学等处演讲，介绍中国当代文学，并参观耶鲁大学；参加爱荷华大学"作家写作中心"的纪念活动；游览华盛顿等地。

1988 年

3 月，应香港《大公报》邀请，赴香港参加五十周年报庆活动；在《大公报》安排的大型报告会上作关于改革开放与文学创作的报告。

5 月，应法国文化部邀请，参加中国作家代表团访问法国，除在巴黎活动外，还访问了西部港口城市圣·拉扎尔。

《私人照相簿》在香港出版（南粤出版社）。

《我可不怕十三岁》获 1980—1985 年全国优秀儿童文学奖。

以上数年中，若干小说、散文还分别获得过《当代》《十月》《小说月报》《小说选刊》《中篇小说选刊》《儿童文学》《北方文学》等杂志，《人民日报》《文汇报》等报纸副刊的奖；拍成电视剧播出的有《没工夫叹息》《熄灭》（电视剧名《火苗》）《今夏流行明黄色》《到远处去发信》《非重点》《公共汽车咏叹调》和八集连续剧《钟鼓楼》；若干作品被英国、美国、西德、苏联、日本、瑞士、瑞典、法国、意大利等国翻译为英、德、俄、日、法、意、瑞典等文字出版；自 1987 年起被世界上有威望的英国欧罗巴出版社《世界名人录》收入词条。

1989 年

春，应香港中文大学翻译中心邀请，与妻子吕晓歌赴香港访问。

1990 年

3 月，以任届期满，免去《人民文学》杂志主编职务。

香港中文大学翻译中心编译的英文小说集《黑墙与其他故事》出版。

秋，以"鱼山"笔名在《钟山》杂志发表中篇小说《曹叔》。

1991 年

出版小说集《一窗灯火》。

除小说外，开始发表大量散文、随笔。

1992 年

长篇小说《风过耳》在内地（中国青年出版社）、香港（勤＋缘出版社）分别出版，反响颇为强烈。

长篇小说《四牌楼》完稿，交上海文艺出版社出版。

《献给命运的紫罗兰——刘心武谈生存智慧》由上海人民出版社出版，受到读者欢迎。

在《收获》杂志发表中篇小说《小墩子》，后由中国电视剧制作中心改编拍摄为电视连续剧。

至该年，在海内外出版的个人专著按不同版本计已达 43 种。

在《红楼梦学刊》1992 年第二辑上发表论文《秦可卿出身未必寒微》，在"红学"界和读者中均引起注意；另有若干《红楼梦》人物论和《红楼边角》专栏文章发表。

冬，应瑞典学院邀请（斯堪的纳维亚航空公司赞助）赴北欧访问；在挪威奥斯陆大学、瑞典斯德哥尔摩大学和隆德大学、丹麦哥本哈根大学和奥胡斯大学的东亚系汉学专业以《九十年代初的中国小说》为题作学术报告；12 月 7 日，参加诺贝尔文学奖有关活动，听 1992 年得主德里克·沃尔科特发表受奖演说。

1993 年

华艺出版社出版《刘心武文集》（1—8 卷）。

出版长篇小说《四牌楼》。

1994 年

1 月，应台湾《中国时报》邀请赴台参加"两岸三地文学研讨会"。

《四牌楼》获上海优秀长篇小说大奖，到沪领奖。

1995 年

出版随笔集《人生非梦总难醒》（上海人民出版社）。

出版小说集《仙人承露盘》（华艺出版社）。

1996 年

出版长篇小说《栖凤楼》（人民文学出版社）。至此，由《钟鼓楼》《四牌楼》《栖凤楼》构成的"三楼"长篇小说系列竣工。

应《南洋商报》邀请赴马来西亚访问并顺访新加坡。

1997 年

应日本文化交流基金会邀请,与妻子吕晓歌访问日本。其长篇小说《钟鼓楼》、儿童文学作品《我是你的朋友》、短篇小说《王府井万花筒》等此前已相继译为日文在日本出版。

1998 年

建筑评论集《我眼中的建筑与环境》由中国建筑工业出版社出版,在建筑界产生影响。

应美国科罗拉多大学邀请,赴美参加金庸作品国际研讨会,在会上提交关于《鹿鼎记》的论文《失父:一种生存困境》。

1999 年

出版纪实性长篇小说《树与林同在》(山东画报出版社)。

出版《红楼三钗之谜》(华艺出版社)。

赴新加坡出席国际环境文学研讨会。

2000 年

应邀访问法国,并应英中协会和伦敦大学邀请,从巴黎赴伦敦讲《红楼梦》。

至此年底在海内外出版的个人专著(不含文集)按不同版本计达 101 种。

2001 年

出版包含建筑评论的随笔集《在忧郁中升华》(文汇出版社)。

在北京电视台录制播出《刘心武谈建筑》系列节目。

2002 年

出版小说集《京漂女》(中国文联出版社),自绘插图。

应澳大利亚雪梨华文写作协会邀请赴澳大利亚访问。

2003 年

以马来西亚《星洲日报》世界华人文学"花踪奖"评委身份赴吉隆坡参加相关活动。

台湾联经出版社出版小说集《人面鱼》。此前台湾已出版过刘心武多种作品，如皇冠出版社出版了《钟鼓楼》，幼狮文化事业公司出版了《四牌楼》《为他人默默许愿》（散文集）。

2004 年

赴法参加巴黎书展活动。书展上展出了译为法文的著作有小说《树与林同在》《护城河边的灰姑娘》《尘与汗》《人面鱼》《如意》与歌剧剧本《老舍之死》。

建筑评论集《材质之美》由中国建材工业出版社出版。

小说集《站冰》出版（人民文学出版社），自绘封面插图。

2005 年

出版集历年研红成果的《红楼望月》（书海出版社）。

应 CCTV-10（中央电视台科学教育频道）《百家讲坛》邀请，录制播出《刘心武揭秘〈红楼梦〉》系列节目 23 集，反响强烈，引出争议。

《刘心武揭秘〈红楼梦〉》第一、二部相继出版（东方出版社），畅销。

2006 年

应美国华美协会邀请，赴纽约在哥伦比亚大学讲《红楼梦》。

应邀参加香港书展。

出版《刘心武揭秘古本〈红楼梦〉》（人民出版社）。

2007 年

继续应邀到 CCTV-10《百家讲坛》录制节目，并出版《刘心武揭秘〈红楼梦〉》第三部、第四部（东方出版社）。

访问俄罗斯。

2008 年

出版随笔集《健康携梦人》（中国海关出版社）。

自 1986 年出版《垂柳集》，至此所出版的散文随笔集已逾 30 种。

2009 年

在《上海文学》杂志开《十二幅画》专栏，每期发表一篇写人物命运的大散文，并配发自己的画作。

4 月，妻子吕晓歌病逝，著长文《那边多美呀！》悼念。

2010 年

再应 CCTV-10《百家讲坛》邀请，录制播出《〈红楼梦〉的真故事》系列节目。至此在《百家讲坛》录制播出关于《红楼梦》的个人系列讲座累计达 61 集。

出版《〈红楼梦〉的真故事》（凤凰联动·江苏人民出版社），在争议声中畅销。

4 月，应台湾新地文学社邀请赴台参加"21 世纪世界华文文学高峰会议"。

出版《命中相遇——刘心武话里有画》（上海文艺出版社）。

加快《刘心武续〈红楼梦〉》的写作，次年完成推出。

至本年底，在海内外出版的个人专著，文集不算在内，重印亦不算，按不同版本计达 182 种（按不同书名计则为 141 种）。

年底，筹备编辑《刘心武文存》。

只包括在中国大陆、台湾、香港和海外出版的书（同一著作每种版本单列）；不包括散发于报刊尚未出书的篇目，亦不包括多人合集中的篇目。第一个数字表示不同版本的排序；[ ]中的数字表示剔除同一书名的版本后的排序；注意：文集8卷不参加排序。

1976 年

1.[1]《睁大你的眼睛》[儿童文学·中篇小说]

北京人民出版社 1976 年 1 月第一版

1978 年

2.[2]《母校留念》[儿童文学·小说集]

中国少年儿童出版社 1978 年 7 月第一版

1979 年

3.[3]《小猴吃瓜果》[低幼读物·画册]

少年儿童出版社 1979 年 4 月第一版
1980 年 6 月第二次印刷

4.[4]《班主任》[短篇小说集]

中国青年出版社 1979 年 6 月第一版

1980 年

5.[5]《我是你的朋友》[儿童文学·中篇小说]

北京出版社 1980 年 7 月第一版

6.[6]《绿叶与黄金》[中短篇小说集]

> 广东人民出版社 1980 年 8 月第一版

7.[7]《刘心武短篇小说集》

> 北京出版社 1980 年 9 月第一版

1981 年

8.《这里有黄金》[中短篇小说集]

> 广东人民出版社 1981 年 4 月第二次印刷
>
> 有平装、软精装两种

9.[8]《大眼猫》[中短篇小说集]

> 浙江人民出版社 1981 年 8 月第一版

1982 年

10.[9]《如意》[中篇小说集]

> 北京出版社 1982 年 5 月第一版

1983 年

11.[10]《中国现代作家选（Ⅲ）刘心武〈我爱每一片绿叶〉〈深谷小溪默默流〉》

> [日本] 东方书店 1983 年第一版

12.[11]《同文学青年对话》

> 文化艺术出版社 1983 年 10 月第一版

1984 年

13.[12]《到远处去发信》[中短篇小说集]

> 四川人民出版社 1984 年 4 月第一版
>
> 有平装、软精装两种

14.[13]《如意》[电影文学剧本]（与戴宗安联合署名)

> 中国电影出版社 1984 年 6 月第一版

1985 年

15.[14]《嘉陵江流进血管》[中篇小说集]

陕西人民出版社 1985 年 2 月第一版

16.[15]《日程紧迫》[中短篇小说集]

群众出版社 1985 年 5 月第一版

17.[16]《我可不怕十三岁》[儿童文学集]

新世纪出版社 1985 年 8 月第一版

18.[17]《钟鼓楼》[长篇小说]

人民文学出版社 1985 年 11 月第一版

有平装、软精装两种

1986 年 5 月第二次印刷

1986 年

19.[18]《公共汽车咏叹调》[纪实小说]

湖南文艺出版社 1986 年 1 月第一版

20.[19]《都会咏叹调》[小说集]

作家出版社 1986 年 3 月第一版

21.[20]《垂柳集》[散文集]

陕西人民出版社 1986 年 4 月第一版

22.[21]《立体交叉桥》[中短篇小说集]

人民文学出版社 1986 年 6 月第一版

有平装、软精装两种

23.[22]《巴黎郁金香》[访法散文集]

群众出版社 1986 年 11 月第一版

24.[23]《木变石戒指》[中短篇小说集]

青海人民出版社 1986 年 12 月第一版

1987 年

25. *Little Monkey Triesto Eat Fruit* [科学童话·英文]

海豚出版社 1987 年第一版

有平装、精装两种

26.[24]《斜坡文谈》[文学理论]

上海文艺出版社 1987 年 4 月第一版

27.[25]《王府井万花筒》[中篇小说集]

湖南文艺出版社 1987 年 9 月第一版

有平装、精装两种

28.[26]《5·19 长镜头》[小说自选集]

四川文艺出版社 1987 年 11 月第一版

29.げくけきの友たちだ [《我是你的朋友》日译本]

[日本] 福武书店 1987 年 12 月第一版

1989 年 3 月第二版

1991 年 2 月第三版

1988 年

30.[27]《她有一头披肩发》[中短篇小说集]

台湾林白出版社 1988 年 4 月第一版

31.《钟鼓楼》[长篇小说]

香港天地图书有限公司 1988 年第一版

1993 年第二版

32.[28]《私人照相簿》[纪实文学]

香港南粤出版社 1988 年 11 月第一版

33.[29]《刘心武代表作》

黄河文艺出版社 1988 年 12 月第一版

1989 年

34.《小猴吃瓜果》[科学童话]

开明出版社、海豚出版社 1989 年 3 月第一版

35.《钟鼓楼》[长篇小说]

台湾皇冠出版社 1989 年 4 月第一版

36.[30]《一片绿叶对你说》[文艺随笔集]

河北教育出版社 1989 年 12 月第一版

1990 年

37.[31]*BLACK WALLS AND OTHER STORIES* [小说集·英译本]

香港中文大学翻译中心出版社 1990 年第一版

38.[32]《王府井万花镜》[小说集·日译本]

[日本] 德间书店 1990 年 9 月第一版

1991 年

39.《母校留念》[小说]

[日本] 骏河台出版社 1991 年 4 月第一版

40.[33]《一窗灯火》[中短篇小说集]

华艺出版社 1991 年 10 月第一版

1993 年第二次印刷

1992 年

41.[34]《列奥纳多·达·芬奇》[传记]

江苏教育出版社 1992 年 5 月第一版

42.[35]《有家可归》[散文随笔集]

广东旅游出版社 1992 年 5 月第一版

43.[36]《风过耳》[长篇小说]

中国青年出版社 1992 年 6 月第一版

1992 年 12 月第二次印刷

1993 年 3 月第三次印刷

1995 年 8 月第五次印刷

1996 年 3 月第六次印刷

44.《风过耳》[长篇小说]

香港勤＋缘出版社 1992 年 6 月第一版

45.[37]《献给命运的紫罗兰——刘心武谈生存智慧》

上海人民出版社 1992 年 6 月第一版

1992 年 11 月第二次印刷

1995 年第三次印刷

1996 年 12 月第五次印刷

46.《刘心武代表作》

河南人民出版社 1992 年 6 月第二次印刷·精装本

47.[38]《蓝夜叉》[中篇小说集]

香港勤＋缘出版社 1992 年 9 月第一版

1993 年

48.《北京下町物语》[长篇小说·《钟鼓楼》日译本]

[日本] 东京恒文社 1993 年 2 月第一版

1994 年第二版

49.[39]《为你自己高兴》[随笔集]

内蒙古人民出版社 1993 年 3 月第一版

50.[40]《杀星》[小说集]

香港勤＋缘出版社 1993 年 6 月第一版

51.《我是你的朋友》[儿童文学·中篇小说·增订本]

希望出版社 1993 年 6 月第一版

52.[41]《四牌楼》[长篇小说]

上海文艺出版社 1993 年 6 月第一版

1994 年 4 月第二次印刷

1996 年 11 月第三次印刷

53.[42]《我是怎样的一个瓶子》[随笔集]

成都出版社 1993 年 9 月第一版

54.[43]《沉默交流》[随笔集]

中国华侨出版社 1993 年 11 月第一版

55.[44]《富心有术》[随笔集]

群众出版社 1993 年 12 月第一版

1995 年第二次印刷

56.[45]《中国当代名人随笔·刘心武卷》

陕西人民出版社 1993 年 12 月第一版

☆《刘心武文集》[1—8 卷]

华艺出版社 1993 年 12 月第一版

☆《刘心武文集·〈钟鼓楼〉〈风过耳〉》(简装本)

☆《刘心武文集·〈四牌楼〉〈无尽的长廊〉》(简装本)

华艺出版社 1997 年 5 月第一版

1994 年

57.[46]《仰望苍天》[随笔集]

知识出版社 1994 年 1 月第一版

1995 年第二次印刷

东方出版中心 1996 年 7 月第三次印刷

58.[47]《男扮女妆与女扮男妆》[随笔集].

中原农民出版社 1994 年 2 月第一版

59.[48]《相对一笑》[小小说集]

中共中央党校出版社 1994 年 2 月第一版

60.[49]《秦可卿之死》[专著]

华艺出版社 1994 年 5 月第一版

61.《四牌楼》[长篇小说]

台湾幼狮文化事业公司 1994 年 8 月第一版

62.[50]《为他人默默许愿》[散文集]

台湾幼狮文化事业公司 1994 年 10 月第一版

63.[51]《中国小说名家新作丛书·刘心武卷》

海峡文艺出版社 1994 年 11 月第一版

64.[52]《红楼梦(缩写本)》

接力出版社 1994 年 12 月第一版

1995 年第二次印刷

1997 年 9 月第三次印刷

1995 年

65.[53]《人生非梦总难醒》[名人日记·随笔集]

上海人民出版社 1995 年 1 月第一版

1995 年 3 月第二次印刷

66.[54]《仙人承露盘》[中短篇小说集]

华艺出版社 1995 年 3 月第一版

67.[55]《女性与城市》[杂文集]

中国城市出版社 1995 年 6 月第一版

68.《我是你的朋友》[增订版·"小学生成才书架"系列之一]

希望出版社 1995 年 10 月第一版

69.《在胡同里转悠》[随笔集]

陕西人民出版社 1995 年 11 月第二次印刷

70.[56]《刘心武海外游记》

华文出版社 1995 年 12 月第一版

1996 年

71.[57]《刘心武小说精选》

> 太白文艺出版社 1996 年 2 月第一版

72.[58]《开发心大陆》[随笔集]

> 吉林人民出版社 1996 年 3 月第一版
>
> 1997 年 3 月第二次印刷

73.[59]《你哼的什么歌》[散文集]

> 湖南文艺出版社 1996 年 6 月第一版

74.[60]《刘心武张颐武对话录——"后世纪"的文化了望》

> 漓江出版社 1996 年 7 月第一版

75.[61]《边缘有光》[随笔集]

> 汉语大辞典出版社 1996 年 8 月第一版

76.[62]《刘心武怪诞小说自选集》

> 漓江出版社 1996 年 8 月第一版
>
> 有平装、精装两种

77.[63]《我是刘心武》

> 团结出版社 1996 年 9 月第一版

78.[64]《刘心武》[中国当代作家选集丛书]

> 人民文学出版社 1996 年 10 月第一版

79.[65]《刘心武杂文自选集》

> 百花文艺出版社 1996 年 11 月第一版

80.《秦可卿之死》[修订本]

> 华艺出版社 1996 年 11 月第二版

81.[66]《栖凤楼》[长篇小说]

> 人民文学出版社 1996 年 12 月第一版
>
> 1998 年 3 月第二次印刷

1997 年

82.[67]《封神演义（缩写本）》

接力出版社 1997 年 1 月第一版

1997 年 9 月第二次印刷

83.[68]《胡同串子》[中短篇小说集]

北京燕山出版社 1997 年 8 月第一版

84.《私人照相簿》

上海远东出版社 1997 年 9 月第一版

1998 年 2 月第二次印刷

2000 年换封面版权页称 2000 年 6 月第二次印刷

85.[69]《中国儿童文学名家作品精选丛书·刘心武作品精选》

河北少年儿童出版社 1997 年 8 月第一版

86.[70]《把嘴张圆》[随笔集]

上海远东出版社 1997 年 12 月第一版

1998 年

87.[71]《我眼中的建筑与环境》[建筑评论随笔集]

中国建筑工业出版 1998 年 5 月第一版

1999 年 5 月第二次印刷

2000 年 6 月第三次印刷

2001 年 6 月第四次印刷

88.《钟鼓楼》[茅盾文学奖获奖书系]

人民文学出版社 1998 年 3 月第一次印刷

1998 年 7 月第二次印刷

1998 年 8 月第三次印刷

1999 年 3 月第四次印刷

2000 年 1 月第五次印刷

2001 年 1 月第六次印刷

2001 年 8 月第七次印刷

2002 年 8 月第八次印刷

2003 年 1 月第九次印刷

1999 年

89.[72]《树与林同在》[非虚构长篇小说]

山东画报出版社 1999 年 3 月第一版

2006 年 7 月第二次印刷

90.[73]《八十六颗星星》(*The Eighty-Six Stars*) [儿童文学小说·汉英对照]

希望出版社 1999 年 6 月第一版

91.[74]《红楼三钗之谜》[刘心武红学探佚精品]

华艺出版社 1999 年 9 月第一版

92.[75]《蓝玫瑰》[中短篇小说集]

中国华侨出版社 1999 年 10 月第一版

93.[76]《过隧道的心情》[随笔集]

华东师范大学出版社 1999 年 12 月第一版

2000 年

94.[77]《一切都还来得及》[随笔集]

中国青年出版社 2000 年 1 月第一版

95.[78]《善的教育》[儿童文学]

辽宁少年儿童出版社 2000 年 2 月第一版

96.[79] Le Talisman (version bilingue)[《如意》中、法文对照版]

Librarie You Feng 2000 年 4 月第一版

97.[80]《作家刘心武〈班主任〉手迹》

线装书局 2000 年 5 月第一版

98.[81]《楼前白玉兰》[小小说集]

中国广播电视出版社 2000 年 7 月第一版

99.[82]《刘心武侃北京》

上海文艺出版社 2000 年 10 月第一版

100.[83]《我爱吃苦瓜》[茅盾文学奖获奖作家散文精品]

广州出版社 2000 年 10 月第一版

2002 年 10 月第二次印刷

101.[84]《了解高行健》

香港开益出版社 2000 年 12 月第一版

2001 年

102.[85]《亲近苍莽》

中国旅游出版社 2001 年 1 月第一版

103.[86]《在忧郁中升华》

文汇出版社 2001 年 2 月第一版

《刘心武谈建筑——在忧郁中升华》2007 年 8 月第二次印刷

104.[87]《人在风中》

作家出版社 2001 年 8 月第一版

105.《风过耳》

时代文艺出版社 2001 年 10 月第一版

有平装、精装两种

2002 年

106.[88]《京漂女》(自绘插图)

中国文联出版社 2002 年 1 月第一版

107.[89]《深夜月当花》

中国工人出版社 2002 年 1 月第一版

108.[90]《春梦随云散》

人民文学出版社 2002 年 4 月第一版

109.[91]《藤萝花饼》

台湾二鱼文化事业有限公司 2002 年 4 月第一版

110.[92]《刘心武自述》

大象出版社 2002 年 10 月第一版

2003 年

111.[93] L'arbre et la forêt [《树与林同在》法译本]

Bleu de Chine 2003 年 1 月第一版

112.[94]《人面鱼》

台湾联经出版事业股份有限公司 2003 年 2 月初版

113.[94] La Cendrillon Du Canal [《护城河边的灰姑娘》法译本]

Bleu de Chine 2003 年 4 月第一版

114.[95]《画梁春尽落香尘》["红学" 专著]

中国广播电视出版社 2003 年 6 月第一版

2003 年 9 月第二次印刷

2004 年 1 月第三次印刷

2005 年 6 月第四次印刷

115.[96]《眼角眉梢》

新华出版社 2003 年 8 月第一版

116.[97]《钟鼓楼》[初中生语文新课标必读]

人民日报出版社 2003 年 9 月第一版

117.[98]《天梯之声》

中国青年出版社 2003 年 10 月第一版

2004 年

118.[99] Poussière et sueur [《尘与汗》法译本]

Bleu de Chine 2004 年 1 月第一版

119.[100] La mort de Lao SHe [《老舍之死》歌剧剧本法译本]

Bleu de Chine 2004 年 3 月第一版

120.[101] Poisson à face humaine [《人面鱼》法译本]

Bleu de Chine 2004 年 3 月第一版

121.《如意》[电影伴读中国文学文库·附电影光盘]

中国青年出版社 2004 年 1 月第一版

122.[102]《泼妇鸡丁》

台湾二鱼文化事业有限公司 2004 年 4 月第一版

123.[103]《在柳树臂弯里——刘心武随笔》

光明日报出版社 2004 年 5 月第一版

124.[104]《材质之美——刘心武城市文化酷评》

中国建材工业出版社 2004 年 5 月第一版

125.[105]《站冰——刘心武小说新作集》(自绘插图)

人民文学出版社 2004 年 6 月第一版

126.《四牌楼》

上海文艺出版社 2004 年 8 月第二版

127.[106]《大家文丛:刘心武》

古吴轩出版社 2004 年 8 月第一版

2005 年

128.《钟鼓楼》(中国文库·文学类)

人民文学出版社 2005 年 1 月第一版第一次印刷(平装)

2005 年 1 月第一版第一次印刷(精装)

129.《钟鼓楼》(茅盾文学奖获奖作品全集之一)

人民文学出版社 1985 年 11 月第一版、2005 年 1 月第一次印刷

2005 年 5 月第二次印刷

2005 年 7 月第三次印刷

2006 年 3 月第四次印刷

2008 年 4 月第七次印刷

2009 年 8 月第八次印刷

2010 年 1 月第九次印刷

2011 年 7 月第 15 次印刷

2011 年 9 月第 16 次印刷

2011 年 11 月第 17 次印刷

130.[107]《心灵体操》

时代文艺出版社 2005 年 1 月第一版

131.[108]《刘心武作文示范》

少年儿童出版社 2005 年 1 月第一版

132.[109] La Démone bleue (《蓝夜叉》法译本)

Bleu de Chine 2005 年第一版

133.[110]《红楼望月》

书海出版社 2005 年 4 月第一版

2005 年 6 月第二次印刷

2005 年 7 月第三次印刷

2005 年 8 月第四次印刷

2005 年 9 月第五次印刷

2005 年 9 月第六次印刷

134.[111]《刘心武揭秘〈红楼梦〉》

东方出版社 2005 年 8 月第一版

至 2005 年 19 月共十三次印刷

2005 年 11 月第二版

至 2005 年 12 月已第十八次印刷

至 2007 年 7 月已第二十八次印刷

2007 年 12 月第三十次印刷

2008 年 4 月第三十二次印刷

135.《红楼解梦——画梁春尽落香尘》

中国广播电视出版社 2005 年 9 月第二版第五次印刷

136.《楼前白玉兰——刘心武最新小小说集》

中国广播电视出版社 2005 年 9 月第二版第二次印刷

137.[112]《刘心武揭秘〈红楼梦〉》[第二部]

东方出版社 2005 年 12 月第一版

至 2007 年 7 月已第十五次印刷

2007 年 12 月第十七次印刷

2008 年 4 月第十九次印刷

138.[113]《刘心武解读人世情》

时代文艺出版社 2005 年 12 月第一版

139.[114]《刘心武感悟平常心》

时代文艺出版社 2005 年 12 月第一版

2006 年

140.[115]《刘心武自选集》

云南人民出版社 2006 年 1 月第一版

141.[116]《刘心武点评〈红楼梦〉》

团结出版社 2006 年 1 月第一版

142,《刘心武精品集·第一卷·钟鼓楼》

东方出版社 2006 年 1 月第一版

143.《刘心武精品集·第二卷·四牌楼》

东方出版社 2006 年 1 月第一版

144.《刘心武精品集·第三卷·栖凤楼》

东方出版社 2006 年 1 月第一版

145.《刘心武精品集·第四卷·献给命运的紫罗兰》

东方出版社 2006 年 1 月第一版

146.[117]《戴敦邦绘刘心武评〈金瓶梅〉人物谱》

作家出版社 2006 年 4 月第一版

147.[118]《红楼拾珠》

云南人民出版社 2006 年 5 月第一版

148.[119]《藤萝花饼》

云南人民出版社 2006 年 5 月第一版

149.《刘心武揭秘〈红楼梦〉》[第一部]

台湾好读出版有限公司 2006 年 6 月初版

150.《刘心武揭秘〈红楼梦〉》[第二部]

台湾好读出版有限公司 2006 年 6 月初版

151.《我是刘心武》

天津人民出版社 2006 年 8 月第一版

152.[120]《刘心武揭秘古本〈红楼梦〉》

人民出版社 2006 年 12 月第一版

同月第二次印刷

2007 年

153.[121]《四棵树》

二十一世纪出版社 2007 年第一版

154.[122]《用心去游》

上海三联书店 2006 年 12 月第一版

2007 年 1 月第一次印刷

155.[123] Dés de poulet façon mégère [《泼妇鸡丁》法译本]

Bleu de Chine 2007 年 4 月第一版

156.《一切都还来得及》

中国青年出版社 2005 年 5 月第一版

藤 萝 花 饼

157.[124]《刘心武揭秘〈红楼梦〉》[第三部·黛玉之谜及古本之秘]

东方出版社 2007 年 7 月第一版

至 2007 年 8 月已第四次印刷

2007 年 12 月第六次印刷

2008 年 3 月第七次印刷

158.[125]《刘心武说世道人心》

中国青年出版社 2007 年 7 月第一版

159.[126]《刘心武说寻美感悟》

中国青年出版社 2007 年 7 月第一版

160.[127]《刘心武说草根情怀》

中国青年出版社 2007 年 7 月第一版

161.[128]《长吻蜂》

上海人民出版社 2007 年 8 月第一版

162.《私人照相簿》

华龄出版社 2007 年 10 月第一版

163.《善的教育》

华龄出版社 2007 年 10 月第一版

164.[129]《刘心武揭秘〈红楼梦〉》[第四部·宝钗湘云之谜暨红楼心语]

东方出版社 2007 年 11 月第一版

2008 年 3 月第三次印刷

2008 年

165.[130]《健康携梦人》

中国海关出版社 2008 年 4 月第一版

166.[131]《刘心武小说》

吉林文史出版社 2008 年 5 月第一版

167.[132]《刘心武散文》

吉林文史出版社 2008 年 5 月第一版

2009 年

168.《钟鼓楼》(共和国作家文库)

作家出版社 2009 年 4 月第一版

169.《四牌楼》(共和国作家文库)

作家出版社 2009 年 4 月第一版

170.[133]《人在胡同第几槐》

中国文联出版社 2009 年 6 月第一版

171.《钟鼓楼》(新中国 60 年长篇小说典藏)

人民文学出版社 2009 年 7 月第一版

172.[134]《刘心武短篇小说》

现代教育出版社 2009 年 8 月第一版

173.[135]《刘心武中篇小说》

现代教育出版社 2009 年 8 月第一版

174.[136]《刘心武散文随笔》

现代教育出版社 2009 年 8 月第一版

175.《刘心武揭秘〈红楼梦〉》上卷(共和国作家文库)

作家出版社 2009 年 8 月第一版

176.《刘心武揭秘〈红楼梦〉》下卷(共和国作家文库)

作家出版社 2009 年 8 月第一版

2010 年

177.[137]《人情似纸》

江苏文艺出版社 2010 年 1 月第一版

178.[138]《红楼梦八十回后真故事》

江苏人民出版社 2010 年 3 月第一版

179.[139]《刘心武小说精选集》

[台湾] 新地文化艺术有限公司 2010 年 4 月第一版

180.《红楼望月》

> 江苏人民出版社 2010 年 6 月第一版
>
> 2010 年 9 月第二次印刷

181.[140]《命中相遇——刘心武话里有画》

> 上海文艺出版社 2010 年 7 月第一版

182.[141]《红楼眼神》

> 重庆出版社 2010 年 9 月第一版

2011 年

183.[142]《刘心武续红楼梦》

> 江苏人民出版社 2011 年 3 月第一版
>
> 江苏人民出版社 2011 年 4 月第 4 次印刷

184.[143]《红楼梦》（曹雪芹著刘心武续）

> 江苏人民出版社 2011 年 3 月第一版

185.《刘心武续红楼梦》[繁体字竖排本]

> 香港明报出版社有限公司 2011 年 3 月初版

186.《刘心武揭秘〈红楼梦〉》精华本（一）

> 江苏人民出版社 2011 年 4 月第一版

187.《刘心武揭秘〈红楼梦〉》精华本（二）

> 江苏人民出版社 2011 年 4 月第一版

188.《刘心武揭秘〈红楼梦〉》精华本（三）

> 江苏人民出版社 2011 年 4 月第一版

189.《刘心武揭秘〈红楼梦〉》精华本（四）

> 江苏人民出版社 2011 年 4 月第一版

190.《刘心武续红楼梦》[繁体字竖排本]

> 台湾城邦文化事业股份有限公司商周出版 2011 年 4 月第一版

191.《〈红楼梦〉的真故事》

　　　　　　　　台湾人类智库数位科技股份有限公司 2011 年 6 月第一版

192.[144]《听刘心武说房子的事儿》

　　　　　　　　　　　　　　中国商业出版社 2011 年 8 月第一版

193.[145]《刘心武心灵随感》

　　　　　　　　　　　　　时代文艺出版社 2011 年 11 月第一版

2012 年

194.[146]《刘心武种四棵树》

　　　　　　　　　　　　　　　漓江出版社 2012 年 1 月第一版

195.[147]《风雪夜归正逢时——我是刘心武》

　　　　　　　　　　　　　　　漓江出版社 2012 年 1 月第一版

196.《献给命运的紫罗兰》

　　　　　　　　　　　　　　　漓江出版社 2012 年 1 月第一版

197.[148]《人生有信》

　　　　　　　　　　　　　江苏人民出版社 2012 年 3 月第一版

198.Poussière et sueur [《尘与汗》法译本 folio 袖珍版]

　　　　　　　　　　　　　　Gallimard 2012 年 8 月出版

199.La Cendrillon du canal [《护城河边的灰姑娘》法译本 folio 袖珍版]

　　　　　　　　　　　　　　Gallimard 2012 年 8 月出版